사자의 서
2015

현대편

아빠께

차례

제3장. 제왕의 후예 1

1. 제왕의 카르마

2009년 6월 22일

하늘이 잔뜩 흐려 있었다.

국립묘지 대전 현충원의 한 소나무가지에 작은 새가 한 마리 날아와서 울어 대었다. 민은 그것이 수현의 분신인 것만 같았다. 그가 마지막으로 와서 작별인사를 하고 있는 거라고 생각했다.

그리고 그 순간, 두 살 위인 사촌형, 수현의 넉넉한 미소가 그리워졌다.

항상 부모님 말씀 잘 듣는 모범생이었던 수현은 털털하면서도 다정다감한 청년이었고 잘 생긴 외모도 외모지만 전문가 못지않게 클래식과 팝을 즐겨듣던 멋들어진 형이었다.

대학생시절 수현은 전혀 예상치 못한 순간, 민의 자취방에 '야, 술 한잔하자!' 하며 매일 만나던 친구인양 불쑥 나타나서는 몇 주일씩 머물다가 홀연히 사라지곤 했었다.

그럴 때면, 수현과 민은 삶의 철학과 사회 부조리에 대한 많은 대화를 밤새워 나누곤 했었다.

수현의 어른스러움과 삶을 진지하게 고민하며 사는 모습이 형제없이 혼자 외동아들로 자란 민에게는 닮고 싶은 롤모델이었고 동경의 대상이었다. 그래서 민은 더욱더 수현에게 정신적으로 의지를 했었는지 모른다.

사촌형, 수현은 ROTC(학사장교)를 거쳐 본인의 뒤를 이어 직업

군인이 되기를 바라시는 첫째 작은아버지의 뜻에 따라 대학 졸업 후 장교로 임관하였다. 하지만 그는 경제학을 전공한 학도답게 사회에 진출하여 유능한 경제인이 되는 것이 꿈이었다.

가끔씩 찾아와서 자신의 이런 진로에 대한 고민을 민에게 털어놓고는 했었다. 자신은 군복무가 끝나면 제대하리라고…….

그리고 자신이 원하는 일을 하며 살 거라고…….

잠시 후에 예포 소리가 들려왔다.

민은 불안한 듯 귀를 막았다. 그것은 그가 이라크 전에 참전하고 돌아온 이후부터 생긴 증상이었다. 길거리를 지나다가 뻥튀기를 튀기는 '뻥이요'하는 소리에도 극도의 공포감을 느끼곤 했다.

이라크 내에서도 가장 안전하다고 하는 지역에 주둔해 있었는데도, 몇 번의 포탄위협에 민의 깊은 무의식은 그 소리에 공포감을 심었다.

민이 학비와 생계비 때문에 이라크 파병을 지원할 때, 수현은 친형처럼 마음 아파하며 그에게 많은 격려와 긍정적인 마인드를 갖도록 도와주었고 객관적으로 상황을 보도록 조언해 주었다. 그래서 그는 파병전날 쓰는 유서에 사촌인 수현에 대한 고마운 마음을 빼놓지 않고 적었었다.

이라크로 떠나는 드랍쉽에 올라 인생의 어느 때보다도 두려웠던 순간에, 옆자리 미군 여하사가 엉엉 울고 있을 때에도, 민은 울지 않았었다.

민이 기억하는 수현은 그 누구보다도 인생에 대한 확실한 믿음과 신념을 가지고 사는 그런 청년이었다. 그런 그가 장교 두 명과 밤에 술을 마시고 차로 귀가하다가 교통사고를 당했다. 함께 동승했던 다른 두 명의 장교는 약간의 부상만을 입은 반면, 수현은 밖으로 튕겨나가 그 자리에서 즉사하였다.

장례식이 끝난 후, 민은 드넓은 국립묘지 한쪽을 차지한 묘와 묘비석을 앞에 두고 우두커니 서 있었다. 봄바람 결을 타고 평소 수현이 좋아해 웅얼거리곤 했던 팝송 가락이 귓가에 구슬프게 울려왔다.

'Dust in the wind……. All we are is dust in the wind…….'

민은 학교 수업이 끝나자마자 서둘러 강의실을 빠져 나왔다. 장례식 참석을 위해 하루를 쉬었던 편의점 알바를 하기 위해서였다. 경쟁이 치열한 편의점 알바자리는 한번 놓치면 구하기가 힘들었으므로 그는 성실하게 일했다.

11년 전 경주에서 '좋은 유통'이라고, 말만하면 알아주던 식품유통업을 하고 계셨던 그의 부친은 갑자기 불어 닥친 IMF라는 커다란 폭풍우에 속수무책으로 무너져 내렸다. TV만 켜면 줄줄이 도산하는 기업체들과 자살하는 회사대표들의 이야기가 연일 뉴스를 장식하던 그때, 1998년도였었다.

민의 부친은 도산한 사업체로부터 받은 어음들의 부도로 사업체가 탄탄하였음에도 불구하고 비운의 운명에 휩쓸려갔다. 그 여파로 그의 부친은 쓰러졌고 그 이후로 반신불수의 몸이 되어 지팡이를 짚고야 겨우 거동이 가능하게 되었다.

고등학교 1학년이었던 민은 그 날 이후로 한국에서 해 볼 수 있는 아르바이트는 모조리 섭렵을 하였다. 어린 나이의 그는 학비는 물론이고 몰락한 집안의 생활비까지도 책임을 져야만 했었다.

그런 상황 속에서도 열심히 공부한 덕분으로 장학금을 받아 대학 입학은 가능하게 되었지만 장애의 몸인 아버지를 대신하여 대학생활 내내 집안의 생계도 어깨위에 짊어지고 가야만했다.

그래도 그에게는 희망이 있었다. 이제 곧 내년이면 졸업을 할 것이고 그러면 취업을 하여 몰락한 집안을 다시 세울 수 있을 거라는 기대가 있었기 때문이었다.

해가 저물어 가고 저녁 퇴근시간에 맞추어 항상 그렇듯이 혜원이 편의점문을 열고 들어섰다.

〈선배, 장례식은 잘 다녀왔어?〉

깔끔한 짙은 회색 바지 정장 차림의 그녀가 민의 안색을 살피며 말을 꺼냈다.

〈응…….〉

〈좋은 곳으로 보내드리고 온 거지?〉

울먹한 목소리로 벌게진 눈을 내리 깔며 그녀가 다시 물었다.

복학하고 나서 만나 캠퍼스 커플로 자타가 공인하는 사이였던 혜원은 몇 번인가 휴가를 나온 수현과 함께 식사를 한 적이 있었다. 그녀는 수현이 자신의 친 오빠 같다고 말하며 신뢰와 애정을 감추지 않았었다.

〈좋은 곳으로 갔을 거야, 형은…….〉

〈그럴 거야……. 아버님은 어떠셔?〉

복학 후 근 2년간 연애를 하면서 집안 여건상 정식소개를 미루어 사진으로만 본 민의 아버지의 안부를 언제나 잊지 않는 그녀였다.

〈항상 같으셔.〉

올봄에 영문학과를 졸업한 그녀는 어렸을 때 미국에서 살았던 스펙으로 친척이 운영하는 소규모 외국계 오퍼회사에 들어 갈 수 있었다. 명문대를 졸업해도 취업자리가 없어 쩔쩔매는 동기들에 비해 운이 좋았다고 그녀는 좋아했었다.

덕분에 민과의 데이트 비용은 고스란히 그녀의 몫이 되기 일쑤였지만, 그녀는 싫은 소리 한번 낸 적이 없었다. 그렇게 믿어주는 그녀에 대해 그도 고마울 따름이었다.

〈근데……, 이런 말해도 될 런지 잘 모르겠는데 전에 사촌 중에 누가 죽었다고 한 적이 있지 않았어?〉

그녀는 짙은 갈색의 동공을 이리저리 굴리면서 조심스럽게 물어보는 눈치였다.

〈응.〉

그랬다. 늘 가족들의 모임이 있을 때면 느껴지는 무거운 분위기를 민은 매번 느껴왔었다. 설령 그것은 그의 집 자체의 몰락으로 인한 것뿐만 아니라 민의 아버지의 4형제 집안 모두가 마음속에 깊은 상처를 입는 일련의 사고들이 있었다.

〈3년 전 나 군대에 있을 때 둘째 작은아버지네 아들이 익사사고로…….〉

둘째 작은아버지가 느지막이 결혼을 하여 얻은 귀한 아들이었다. 그 후 둘째 작은 아버지는 식음을 전폐하시고 하시던 일도 그만두시고 슬픔에 잠겨 한동안 헤어 나오시지 못하셨다.

〈저런…….〉

〈겨우 초등학생이었는데……. 둘째 작은 아버지께서 많이 힘들어 하셨지.〉

〈그…… 여자 사촌 얘기를 그 때 선배가 했었던 것 같은

데…….〉

〈아……, 막내 작은아버지네 선영이……. 그런데 선영이는 사인을 잘 모르겠어. 내가 대학 입학할 때쯤인 것 같은데 죽기 전날에 멀쩡히 학교도 다녀오고 별탈이 없었다는 거야. 사람들은 급살을 맞았다고들 하더라구.〉

민은 지금도 가끔씩 막내 작은아버지가 집안 제사에 오실 때면 '오빠, 오빠' 부르며 따르던 선영이가 생각이 나곤했다.

〈그럼…… 이번이 3번째인 거네…….〉

〈그게 무슨 소리야?!〉

민은 기분 나쁜 이야기라도 들은 듯 짜증 섞인 소리로 말했다.

〈그냥 기분 나쁘게 듣지 말고 객관적으로 들어봐. 사촌들이 몇 년새에 집집마다 하나씩 죽은 거잖아. 그리구 선배네 집은 사업이 망했구.〉

〈그래서?! 우리 집안에 무슨 망조라도 들었다는 거야?!〉

민은 좀 더 기분이 나빠져 혜원에게 언성을 높이고 있었다.

〈아니 그런 것이 아니라……. 혹시, 집안의 할아버지나 할머니 묏자리를 잘 못 쓴 건 아닌가 해서.〉

〈뭐라구?!〉

〈전에 지리학과에서 개설한 어떤 교수님의 교양과목을 수강했었는데 그 교수님이 하시는 말씀이 우리나라의 풍수지리설이 아주 낭설은 아니다. 그 대표적인 것이 묏자리인데, 묏자리의 지리적 기운이 그 곳에 묻힌 사람과 같은 DNA를 가진 사람에게 같은 파동으로 가장 잘 전달이 된다는 거야. 한마디로 죽은 사람이 겪는 지리적 기운이 후손에게 영향을 미치는 것이 일리가 있는 과학적인 이야기가 된다는 거지.〉

〈…….〉

민은 단 한 번도 집안의 사고들에 관해 그런 비과학적인 생각을 해 본적이 없었다. 그는 컴퓨터 공학을 전공하는 공학도로서 누군가의 저주를 받았다느니, 묏자리에 문제가 있다느니, 집안의 망조가 들었다느니, 귀신이 해코지를 한다느니 하는 이런 종류의 미신 이야기는 그의 합리적인 사고로는 전혀 받아들이기 어려운 것이었다.

하지만 일련의 사고들은 사실이었고 믿기 어려울 정도로 아버지 형제들 집집마다 죽음의 어두운 그늘이 드리웠다.

현실을 살아간다는 버거움은 이런 비과학적인 망상들을 잡고 있기에는 큰 것이어서 민은 머릿속을 어지럽게 만들어 놓는 그런 생각들을 길지 않은 시간 내에 잊어 버렸다.

편의점에 손님들이 뜸해진 밤 시각쯤 야간 알바와의 교대를 앞두고 잠시 짬을 내어 이메일을 확인하기위해 컴퓨터 앞에 앉았다.

이런저런 스팸메일 정리를 하던 중에, 뜻하지 않게 눈에 익은 이의 이메일이 눈에 들어 왔다. 그 메일은 이라크에서 컴퓨터 화상통신병으로 있을 때 미군부대에서 파견 나와 알게 된 동갑내기 미군친구의 것이었다.

일 년간 미국의 제휴대학에 교환학생으로 가 있으면서 터득한 영어 실력과 컴퓨터를 전공한 특기사항 때문에 경쟁이 치열한 이라크에 파견 받을 수 있었던 민은 미군부대와의 화상 통신을 전담하여 정기적으로 미군과 교류하였다.

당시 2달간 파견 나온 네이든이란 친구와 꽤 친해져서 나중에 다른 부대로 배치가 되고 나서도 서로 이메일을 주고받았고 6개월 후 이라크에서 돌아와 자대 복귀후에도 몇 번 이메일로 서로 안부를 전하곤 했던 사이였다.
하지만 제대한 이후에는 삶이 바빠 연락이 끊겼었는데 너무나 오랜만에 그 네이든으로부터 이메일이 온 것이었다.
'Min!'이라고 쓰여진 제목을 클릭하였다.
내용은 단 한 줄뿐이었다.

'도와줘! 망령들이 나를 죽이려고 해!'

그 짧은 메일의 내용을 읽고 또 읽고 의미를 파악해 보려고 무던히 애를 썼지만 다른 해석을 할 수 있는 근거란 없었다. 도대체 왜 이런 이메일을 그에게 보낸 것인지 알 수 없어 한참을 멍하게 그 한 줄의 문장을 들여다보았다.
그 이유를 아는 데는 그리 오랜 시간이 들지 않았다. 다음날 저녁 시간 편의점에 틀어놓은 소형 TV에서 민은 3년 만에 네이든의 얼굴을 보았다. 그의 잘생긴 얼굴은 형편없이 말라 있었고 늘 짧았던 갈색의 머리는 장발이 되어 있었다.

'어제밤 미국 조지아주 애틀랜타에서 제대군인 네이든 페레즈가 거리에서 총기를 난사해 길을 가던 행인 3명이 그 자리에서 즉사하는 사고가 발생했습니다. 범인인 네이든 페레즈는 제대이후 정신과 치료를 받아온 것으로 밝혀졌습니다.'

민은 충격을 떠나서 그 뉴스가 너무나 의아했다.
이라크의 드넓은 사막으로부터 자이툰부대에 불어 닥친 거대한 모래 폭풍이 있던 날, 밤처럼 어둑해진 부대 안에서 모래에 휩싸인 창문 밖을 바라보던 네이든과 민은 자신들의 얘기를 서로 들려주고 들어주고 하였었다.

네이든은 술주정뱅이 백인 아버지와 매춘부인 히스패닉계의 어머니 사이에서 태어나 어려서부터 가난을 달고 살았으며 집안은 그리 행복하지 않았다고 했다. 그래도 그는 나쁜 쪽으로 빠져 들지 않았고 책읽기를 좋아해서 작가가 되고 싶었다고 했다.

그가 4년간 군인의 신분으로 살면, 집의 월세와 가족의 의료비 무료 혜택이 주어지며 생활을 충분히 할 수 있을 정도의 월급을 받는다고 했다. 무엇보다도 군인의 직업을 그만두더라도 4년간의 복무로 인해 무료로 대학을 다닐 수 있어 꼭 작가가 될 거라고 말하며 행복해 했었던 것을 민은 기억해냈다.

그렇게 맑디맑은 영혼의 네이든이 어떻게 저렇게 망가질 수가 있을까? 뉴스의 내용이 믿기지 않았다.

민은 당시 네이든과 함께 파견되었던 동료 데이빗의 이메일을 찾기 시작했다. 그리고 이번 사건과 네이든의 행적에 대해 물었다.

하루 만에 답장이 왔다.

'네이든은 통신병파견 임무 이후 바스라지역으로 배치를 받았어. 그곳에서 몇 번의 간헐적인 시가전이 있었는데 처음에는 괜찮던 녀석이 점점 이상해져서 몇 개월 후 강제 제대 조치가 내려졌어. 미국에 복귀해서 녀석을 찾아 갔더니 거의 제 정신이 아니더라구. 자신이 죽인 이라크인의 망령이 매일 자신을 찾아온다는 거야. 아마도 자신이 한 살인에 대해 받아들이지 못하고 있는 것 같았어. 민! 나도 너무 슬프다.'

답장을 읽고 난 뒤 민은 네이든이 어떤 상태에 있었는지 대강 짐작을 할 수 있었다. 좋은 책을 써서 많은 사람들이 그 책으로 행복해지는 걸 상상하며 미래에 대한 꿈을 키우던 네이든에게는 자신이 저지른 살인이 그 꿈과 부합하지 않음을 스스로 깨달았을 것이다.

그래서 계속 반복되는 시가전에서의 살인은 단순히 살인이 아니라 그의 영혼을 죽이는 행위였던 것이었다.

그렇다면 민에게 보낸 이메일은 자신이 저지를 일에 대한 최후통첩을 누군가에게 알리고자 한 것이었다.

민은 입술을 깨물었다. 주체할 수 없는 눈물이 계속 흘러 내렸다.

며칠 후 데이빗으로부터 또 하나의 이메일이 도착해 있었다. 그것은 네이든의 자살로 인한 사망을 알리고 있었다.

그 소식을 접한 민은 삶에 대한 강한 회의감이 밀려왔다.

과연 무엇인가를 성취하기 위해서 사는 삶이 옳은 것인가? 지금 우리 모두가 성취하려는 그것은 돈과 부다. 그런 것이 삶의 전부가 되도록 시스템화 되어 버린 이 세상이 갑자기 토하고 싶을 정도로 역겨워졌다.

돈을 위해서면 영혼도 없이 무엇인가 획득하고 소유하려고 서로 죽이도록 부추기는 이 세상의 구조가 올바로 가고 있는 것일까?

자신의 본질을 보지 못하게 눈을 가리고 남의 눈에만 비친 그리고 남의 눈에 의해서 만들어진 환상의 이미지들이 마치 진짜 자신인양, 진짜 세상인양 살고 있는 것은 아닌가하는 공허감과 허탈감이 민을 괴롭혔다.

〈아아악!〉

한밤중 비명을 지르며 민이 잠에서 깨었다.

며칠간 네이든의 일로 인한 삶에 대한 회의감은 그에게 불면증을 가져 왔었다. 그런데 가까스로 잠든 단잠도 악몽에 시달리고 있었다.

잠시 꿈의 내용을 떠올려 본 민은 몸서리를 쳤다. 피를 흘리는 남자에게 쫓기는 꿈이었다. 난생 그런 꿈은 꿔 본 적이 없었다. 땀에 흥건히 젖은 베개를 다독이며 다시 잠을 청해보려 하지만 정신은 점점 또렷해져 왔다.

〈선배! 요즘 얼굴이 왜 그래? 어디 아퍼?〉

편의점에 들른 혜원이 걱정스러운 듯 꺼칠해진 민의 얼굴을 보며 말했다.

〈어어…… 요즘 잠을 잘 못자. 악몽도 많이 꾸고.〉

2주 사이 살이 빠지고 눈 밑에는 다크써클이 드리워 누가 봐도 민의 얼굴은 상해 있었다.

〈왜 잠을 못자? 그 미군친구 때문에 그런 거야?〉

〈아무래도 좀 충격이 컸으니까. 괜찮아 질 거야. 걱정하지 마.〉

〈악몽을 꿔? 무슨 꿈인데?〉

〈피를 흘리는 남자에게 쫓기는 꿈.〉

〈저기…… 혹시 병원에 가보는 게 어떨까? 몸이 허해져서 그러는 거 같어.〉

〈아냐 그 정도는……, 걱정해주는 건 너뿐이 없네.〉

애써 웃으며 말하는 민에게 혜원은 가방에서 비타민제 병을 꺼내서 건네었다.

〈이거 잊지 말고 매일 챙겨 먹어야 돼. 알았지?〉

정장차림에 손을 흔들며 구두소리를 '또각, 또각' 내며 나가는 혜원의 뒷모습을 편의점 유리 너머에서 민은 엷은 미소로 흐뭇하게 쳐다보고 있었다.

그때였다.

혜원이 사라진 편의점 유리문 너머에 매일 밤 꿈속에서 보이던 그 끔찍한 피 흘리는 남자가 서서 저주의 눈빛으로 민을 응시하고 있는 게 아닌가?

민은 너무나 놀라 편의점 입구 쪽을 향해 달려 나가 문을 열어 젖혔다. 그 곳엔 그가 보았던 남자의 모습은 없었다.

이젠 헛것을 보는 건가?

민은 자신의 이런 모습이 너무나 어이없게 느껴졌다. 그리고 유리문을 닫고 들어가려는 순간 그는 흠칫 놀랐다.

그것은 분명 핏자국이었다. 방금 흘린 피가 방울방울 떨어진 자국이 선명하였다. 그는 머리에서 발끝까지 얼음전기를 맞은 듯 써늘해짐을 느꼈다.

이건 뭐지?!

드디어 네이든처럼 미친 거냐?!

수 분후 이성을 되돌린 민은 편의점으로 들어가 휴지를 떼어 와서 핏자국 위에 눌러 닦았다. 그리고 마치 수사를 하는 형사처럼 그 휴지조각을 투명한 비닐봉지에 담았다.

한 달에 한번, 민은 경주에 있는 본가를 찾아갔다. 집안의 생활비와 아버지 약값을 어머니께 내어 놓았다. 이런 날이면 미안한 듯 아버지는 언제나 아들의 얼굴을 제대로 보지 못하고 고개를 반쯤 돌리고 있었다.

〈아빠, 드릴 말씀이 있어요.〉

아들의 어투가 심상치 않음을 느낀 탓인지 아버지는 아들의 얼굴을 슬쩍 쳐다보며 표정을 살피고 있었다. 그러더니 오히려 질문을 던지셨다.

〈니 얼굴이 왜 그리 상했냐? 어디 아픈 거 아니냐?〉

〈저…… 혹시 아빠…… 할아버지나 할머니 묏자리를 잘 못 쓰신 거 아닌가요?〉

아버지의 질문에는 답변하지 않은 채 민은 무표정한 얼굴로 물었다.

〈그게 무슨 말이냐? 묏자리를 잘 못 쓰다니?〉

〈아빠는 우리 사촌들이 하나 둘 저렇게 비명횡사 한 것이 그냥 우연한 일이라고 생각하세요?〉

〈너 그러면 묏자리 때문에 그렇다는 거냐? 작년 태풍에 할아버지 산소가 산에서 밀려 내려오긴 했으나 다시 잘 마감해서 잘 처리했다. 묏자리는 문제없어!〉

아버지는 단호하게 말했다.

〈그럼…… 혹시 집안에 남의 저주라도 살 일이 없었어요?〉

〈아니 니가 지금 무슨 얘기를 하는 거냐?! 우리 집안을 무슨 귀신이 해코지라도 한단 말이냐! 그런 일은 내가 아는 한 절대 없다!〉

민은 더 이상 밀어 붙일 수가 없었다. 뇌졸중 후유증으로 몸도 불편하고 혈압도 높은 아버지에게 더 큰 걱정거리를 안겨줄 수는 없다는 판단에서였다.

〈선배! 선배! 집에 있어? 어떻게 된 거야?〉

혜원이 다급하게 민의 자취방 문을 열고 들어 왔다. 민은 이를 예상이라도 한 듯이 일어나 앉으며 혜원을 맞이했다.
〈몸은? 몸은 괜찮아? 편의점에서 그러는데 오늘 아파서 안 나왔다고…….〉
〈응, 오늘 수업도 못 갔어. 그리고 편의점 알바는 당분간 쉬겠다고 했어. 그냥 일주일에 저녁때 두 번가는 과외 알바만 하려고.〉
〈무슨 일이야? 몸이 그렇게 안 좋은 거야?〉
〈좀 쉬려구.〉
〈뭐야? 요즘도 잠 못 자는 거야? 악몽은?〉
〈그게…… 혜원아……, 매일 귀신을 봐.〉
민은 잠시 망설이는 듯 하더니 결심한 듯 혜원을 쳐다보며 말했다.
〈뭐?!〉
안 그래도 큰 혜원의 눈이 더욱 커졌다.
〈밤만 되면 녀석들이 나를 찾아와.〉
〈녀석들? 선배! 정신 차려!〉
혜원의 그 커다래진 눈이 금세 눈물이 차올라 있었다.
〈거짓말 아냐.〉
〈선배! 그 미군친구 때문이야! 그 친구 때문에 그런 거야! 제발 정신 차려!〉
혜원은 두 손으로 민의 오른손을 잡고 흔들면서 사정하듯이 말했다.
〈아냐. 그건 네이든의 망령이었고……. 이유는 알 수 없지만 이건……, 나의 망령이야.〉
민은 혜원의 간절한 사정에도 흔들림 없이 말했다.
〈제발, 제발 그런 말하지 말어. 선배, 망령이 어딨어! 선배는 살인하지 않았잖어!〉

〈니가 전에 했던 말 기억하니? 수현형 장례식 끝나고 니가 한 말 말이야. '이번이 세 번째네'라고 니가 말했었잖아.〉

〈그게 왜? 그건 그냥 묏자리 때문에 한 말이야.〉

민은 방의 한쪽 구석에서 상자 하나를 꺼내어 왔다. 상자 안에는 휴지가 들어 있는 투명한 비닐봉지가 잔뜩 들어 있었다.

〈이걸 봐. 이건 핏자국을 닦은 증거 휴지들이야. 매일 나를 찾아오는 놈들의 피를 닦은 거란 말야.〉

민은 봉지 속에서 휴지를 꺼내어 검붉게 말라 버린 혈흔을 보여주었다.

〈헉……!〉

혜원은 자신도 모르게 손으로 입을 막으며 겁에 질려 있었다.

〈내 꿈속의 경계를 넘어 녀석들이 점점 실제화 되어 가고 있어. 이상하지 않아? 귀신이 실제 피도 흘린단 말야? 어떻게 생각하니?〉

민은 마치 수사관처럼 말했다.

〈…….〉

혜원은 그저 말문이 막혀 잠시 말을 잇지 못하더니 갑자기 생각이 난 듯 말했다.

〈선배, 무당을 찾아가자. 만약 원한관계라면 살풀이 굿이나 그런 걸로 막을 수 있다고 했어. 귀신의 일은 귀신을 다루는 사람에게 가야해. 우리 엄마가 가끔씩 가서 물어 보는 무당이 있거든. 엄마 말로는 용하다고 했어. 우리 궁합도 거기 가서 엄마가 봤는데 선배가 크게 될 사람이라고 결혼하면 잘 살 거라고 했거든.〉

〈무당?〉

혜원은 크게 머리를 끄덕였다.

'신녀보살'이라는 간판이 붙은 작은 골목 귀퉁이의 가정집이었다. 전화로 미리 예약을 해 놓은 상태였다.

혜원과 민은 무언가 해결의 실마리를 찾을 수 있을 거란 기대로 방문을 열고 들어갔다.

〈예약을 한 박 혜원이 아가씨인가? 어서 와서 앉아요.〉

무당은 평범해 보이는 아주머니 인상을 하고 있었으며 갓 피운 향냄새가 공기 속에 유영하고 있는 방안에는 금박을 입힌 부처상과 선녀를 그린 듯 한 초상이 걸려 있었고 제단이 있었다.

〈그래, 무슨 일로 왔어?〉

두 사람을 번갈아 가며 미소 띤 얼굴로 묻고 있던 무당의 눈빛이 갑자기 민에게 고정되며 험악하게 변해 갔다.

〈아이고 이게 뭐야!〉

〈왜 그러세요?〉

경기를 일으키는 듯 소리치는 무당에게 혜원이 물었다.

〈어허! 당장 나가, 나가!〉

무당은 숨을 가쁘게 몰아쉬는 듯 하더니 눈을 부라리며 다짜고짜 소리 질렀다. 민과 혜원은 너무나 당혹스러워 상황파악이 되지 않았다.

〈서슬 퍼렇게 죽은 원귀들이 수십만이야! 어서 나가! 누굴 죽이려고!〉

밖에서 무당의 보조들이 들어와 두 사람의 팔을 잡고 끄집어내었다. 밖으로 쫓겨나면서도 대문에 서서 무당의 보조를 잡고 혜원은 애원 반 협박 반으로 사정을 하였다.

〈저저, 무슨 일인지 말씀을 해주셔야 우리가 가죠! 우리가 우리 돈 내고 점 보러 왔는데 이게 뭐하는 짓이에요!〉

〈죄송하지만 저희 보살님과 맞지 않거나 능력 밖의 일인 듯 하니 어서 돌아가세요!〉

무당의 보조도 난처한 듯이 말했다.

〈그냥 가자.〉

보다 못한 민이 포기한 듯 말했다.

민과 혜원은 한동안 말없이 골목을 걸어 나왔다.

〈다른데 가보자, 응?〉

혜원이 침묵을 깨고 말했다.

〈아까, 그 무당말이야. 죽은 원귀가 수십만이라고 했지?〉

〈응, 그랬던 거 같아. 도대체 무슨 말인지 궁금해 죽겠어.〉

〈수십만은 전쟁 상황이 아니고는 있을 수 없는 숫자야.〉

〈그럼, 선배네 선대 할아버지 중에서 전쟁터에서 그렇게 살생을 한 사람이 있다는 거야?〉

〈선대라면 언제 적 선대 할아버지라는 거지? 우리 경주 김 씨는 기원전부터 시작되는 신라 국의 왕가로 왕권을 이어 받으며 아마도 많은 전쟁을 치렀을 텐데…….〉

〈선배, 그러면 그 먼 옛날의 원귀들이 아주 먼 후손인 선배를 괴롭히러 왔다는 거잖아. 도대체 왜? 지금 와서?〉

〈글쎄…….〉

논리적인 증명이나 과학적 설명이 가능하지 않은 이런 상황에 이유까지 알고자 한다는 것은 무리였다. 다만 민은 자신을 괴롭히는 존재들의 저주스럽게 쳐다보는 눈빛을 기억하고 있었다. 마치 민에게 깊은 원한을 품고 있는 듯 한 섬뜩한 눈빛.

하지만 답할 수 없는 혜원의 의문은 예리했다.

도대체 무엇이 그들로 하여금 시공을 돌아서 그에게 오게끔 한 것일까?

2010년 3월 30일

7개월 전 네이든의 이메일로부터 시작된 저주의 망령들은 민의 인생을 송두리째 공황상태로 빠뜨리고 있었다.

민은 이제까지 자신이 신념으로 중요하게 생각해왔던 졸업과 취업 그리고 열심히 일해서 돈을 벌어 가문을 일으키고 떵떵거리며 살고 싶은 그 모든 욕망들을 놓아야만 했다.

민은 자신에게 벌어지고 있는 이 비과학적인 상황들이 실제인지 아니면 무의식이 만들어낸 망상인지 구분할 수가 없었다.

졸업식을 치른 이후로도 민은 걱정하는 주변의 조언이 들리지 않았고 단지 자신에게 벌어지고 있는 현상에만 모든 감각을 곤두세운 채 집착하고 있었다.

한편, 민은 자신이 서서히 미쳐가는 것인지도 모른다고 생각했다. 혜원까지도 근래에 들어서는 정신과에 함께 가자고 그를 설득하고 있었다.

그러나 매일 그를 방문하는 망령들은 점점 생생하게 살아나고 있었다.

칼을 번뜩이며 나타난 피 흘리는 원귀들이 그의 발을 붙잡고 방문 앞까지 질질 끌고 갔다. 망령들은 이제 그의 몸을 건드리는 단계까지 이른 것이었다. 민의 정신 상태는 극도의 불안과 현실과의 혼돈으로 더 이상 버티지 못할 지경이었다.

어느 날, 그 망령들은 마치 살아 있는 사람 마냥 민을 향해 무언가 말을 하기 시작했다. 이전에는 망령들은 거친 울부짖음으로 그를 공포에 휩싸이게 했었지만 구체적인 어떤 말을 구사한 적은 없었다. 이것이 민의 방어적인 의식을 환기시켰다.

그들이 무슨 말을 하는지 알게 되면 그를 괴롭히는 이유도 알 수 있을 거란 생각에 민은 정신을 바짝 차렸다. 하지만 그들이 구사하는 언어는 영어도 독일어도 스페인어도 아니었다. 그는 종이에다 재빠르게 이것을 옮겨 적었다.

'오 퍼 르 데 토 치 데 레 !'

도대체 이 말은 무슨 뜻이지?

민은 인터넷을 뒤져서 검색하기 시작하였다. 밤새 말의 퍼즐을 맞추어 가까스로 그는 그 뜻을 알아내었다.

'너를 죽일 거야!'

맙소사, 이것은 라틴어였다!

도대체 알 수가 없었다. 라틴어는 고대 로마인들이 쓰던 말이 아닌가? 그의 선대 할아버지가 로마인들을 죽였단 말인가? 도무지 퍼즐이 맞추어 지지 않았다.

거의 1500년 전으로 거슬러 올라가야 하는 일을 민이 무슨 수로 알 수 있을까? 그는 당장 내일을 모르는 생을 살고 있지 않은가? 역사서와 인터넷을 아무리 뒤져봐도 한반도에서 비행기로 16시간이나 떨어진 로마와의 연결고리는 전무(全無)하였다

그날 밤, 민은 망령들에게서 섬뜩한 살기를 느꼈다. 그것은 독사

가 혀를 날름거리며 도사리고 있는 것 마냥 그 하나하나 움직임이며 소리들이 위협적이면서도 강렬하였다. 그는 이것이 실제 상황임을 온 몸으로 느끼고 있었다.

피를 흘리며 방의 끝 벽 쪽에서부터 나타난 망령들이 점점 그에게 다가 오는 것을 보며 이제야 올 것이 왔다는 생각이 너무도 생생히 머릿속을 채웠다.

그는 매의 눈으로 망령들을 쏘아 보며 서서히 몸을 일으켰다.

'둥·둥·둥!'

강렬하게 심장을 때리는 전쟁의 북소리가 어디선가 들려왔다.

극도의 공포와 극도의 희열감이 심장을 타고 부글부글 튀겨 온몸으로 퍼져 나갔다. 오랜 세월동안 DNA가 기억하고 있었던 극명한 이 떨림!

도대체 나는 누구지?

피 냄새가 났다.

순간, 선두에 서 있던 망령이 커다란 칼을 휘둘렀다. 민은 머리털까지 쭈삣 선 상태였지만 어느 때보다도 맑고 또렷한 정신으로 놈들의 동작 하나하나를 읽고 있었으며 그 같지 않게 날렵하게 칼을 피했다.

'깡!'

칼이 벽의 콘크리트에 상처를 내며 부딪치는 소리가 요란하게 울리었다. 민은 머리에 강한 열기를 느끼며 일순간에 등으로 식은땀이 흘러내렸지만, 언젠가 이런 칼을 여러 번 겪어 본 것처럼 너무나도 능수능란하게 피했다. 이상하게도 몇 십 년을 수련한 칼잡이마냥 그 칼을 피할 수 있을 것이란 강한 확신이 들었다.

〈오늘밤! 네 놈들이 내 목을 가지러 왔구나! 자 덤벼라!〉

자신도 알 수 없는 말들이 마치 빙의가 된 듯 터져 나왔고 자신에 대한 강력한 믿음이 머리에서 발끝까지 전율하였다.

양쪽에서 세 명의 망령들이 한꺼번에 달려들어 그에게 칼을 휘둘렀지만 몸이 깃털처럼 뛰어 올라 다리 아래쪽을 가격한 칼을 피하고 옆구리를 겨냥한 칼의 날을 겨드랑이로 잡아 놈을 넘어뜨리고 곧바로 머리 위 직각으로 내리꽂히는 칼날을 재빠르게 등 뒤로 몸을 날려 벽에 부딪치면서 피하였다.

이건 뭐지?

민은 마치 무림의 칼잡이 고수마냥 재빨랐다. 칼을 겨누며 그에게 덤벼들던 세 명의 망령들이 일제히 바닥에 엎어진 채 서서히 모습이 사라졌다.

다음 순간, 알 수 없는 말을 외치며 또 다른 한 놈이 두 손으로 칼을 거머쥐고 사라진 망령들 사이에서 나타나 칼날을 번뜩이며 그에게로 곧장 날아왔다.

칼날은 민의 오른쪽 허벅지를 찔렀고 그는 그 자리에 주저앉고 말았다. 기괴하고 커다란 웃음소리를 내며 놈이 사라졌다. 망령들이 사라진 방의 바닥으로 검붉은 민의 피가 흘러내리기 시작하였다. 그리고 이제까지 그가 느껴 보지 못한 엄청난 고통이 허벅지에서 느껴졌다.

그것은 요 근래 자신이 미쳤을지 모른다는 생각에 사로잡힐 정도로 꿈과 현실이 혼동되던 혼미한 상태가 아니라, 철저히 현실감각이 살아난 그가 느끼는 고통이었다. 그 고통은 그에게 있어 현존이었다.

민은 엎드린 채 핸드폰의 단축키 1번을 눌렀다.
〈여보세요.〉
핸드폰 건너편엔 잠을 자다가 깬 혜원의 목소리가 들려왔다.
〈아아……. 나…….〉
민은 방바닥과 뺨사이에 핸드폰을 겨우 대고는 말을 하려하였지만 고통에 일그러진 그의 입은 제대로 된 말을 하지 못했다.
〈민이 선배! 무슨 일 있어?!〉
단 몇 초 만에 잠이 완전히 깬 사람처럼 그 새벽에 혜원은 소리를 질러대고 있었다.
그 이후 민이 기억하는 것은 앰뷸런스 소리와 몇몇 구조대원들이 그의 집에 들어 닥치는 것을 본 것이었다.

〈이제 깨어났어?〉
어렴풋이 혜원이 보였고 도르래가 달린 자신의 침대차가 엘리베이터를 타고 있는 듯했다.
〈물……. 물 좀 줘.〉
민은 몽롱한 상태였지만 강한 갈증을 느끼고 물을 찾았다.
〈지금은 물을 주지 마시고 입술만 적셔주세요. 쇼크 때문에 구토증상이 올 수 있습니다.〉
왼쪽에서 침대차를 잡고 있던 흰옷의 가운을 입은 남자가 말했다.
혜원은 손에 들고 있던 작은 생수통에 손가락을 집어넣어 적신 다음 민의 입술에 물을 묻혔다. 그는 마치 그것으로 갈증을 해소시킬 듯이 혀로 입술을 훑었다.
의식이 돌아옴에 따라, 혈관으로 얼음 피가 흐르는 듯 한 극심한 오한과 함께 온 몸을 떨면서 애원하듯 다시 말했다.

〈물······· 조금만 더.〉

혜원이 흰색가운의 사내를 한 번 쳐다보며 아무런 반응이 없자 다시 입을 축여 주었다.

이윽고 침대차는 응급실에 도착하고 흰 가운의 남자가 침대를 고정시켰다. 곧바로 의사인 듯 한 두 명의 남자와 간호사 한명이 따라 들어 왔다.

〈김 민씨, 오늘 친구 분이 119에 전화하셔서 병원에 실려 오셨어요. 그리고 한 시간 반가량 허벅지에 입은 상처 봉합수술을 진행했습니다. 제가 수술을 진행한 의사구요. 수술은 잘 됐습니다. 지금은 한 밤중이라서 병실배정은 내일 하시면 되시고요. 상처가 워낙 깊어서 피를 많이 흘리셨어요. 피검사후에 수혈을 진행할 겁니다.〉

의사들이 나가자 간호사가 링걸 병을 확인하고 채혈을 한 다음 이것저것 체크한 후 사라졌다.

〈고맙다.〉

그제야 민은 자신을 구한 것이 혜원임을 알고 감사의 표시를 하였다.

〈어떻게 된 거야?! 선배!〉

혜원은 평소의 밝은 표정이 사라지고 얼굴에는 잔뜩 걱정이 서려 있었다.

〈·······.〉

그렇다. 민은 놈들에게 당했었다는 것을 떠올렸다. 하지만 그는 다시 그 상황을 입에 담고 싶지 않았다. 혜원이 자신을 자해한 미친놈으로 오해를 하더라도 다시는 상기하고 싶지 않은 일이었으므로 침묵했다.

그리고 한사코 병원에서 자겠다는 혜원을 집으로 돌려보냈다.

그 후 마취가 깨어나는지 난데없이 상처부위가 불로 지지는 듯 아려오기 시작했다.
〈간호사, 간호사!〉
민은 거의 상체를 일으켜 세우고는 응급실내에 있는 간호사를 찾았다.
간호사가 이를 발견하고는 급하게 그에게 달려왔다.
〈왜 그러세요?! 괜찮아요?!〉
〈간호사! 진통제! 진통제!〉
고통으로 잔뜩 일그러진 얼굴로 민은 있는 힘을 다해서 말했다.
이윽고 간호사는 재빠르게 진통제를 링걸에다가 놓았다.
'윽! 윽!'
극심한 오한으로 온몸을 사시나무 떨듯 떨었던 민은 그의 내부에서 뜨거운 불덩이 같은 열감이 순식간에 머리꼭대기까지 온몸으로 퍼지는 것을 느끼며 간호사가 진통제를 놓을 동안 구토를 하였다.
〈아우! 쇼크 때문에 그래요. 진통제 놓았으니까 괜찮을 거예요. 무슨 일 있으면 또 부르세요. 아참, 그리고 낼 아침에 아마 파출소에서 경찰이 나올 거예요. 상처 때문에 119에서 아마 호출을 하신 것 같아요. 그냥 있는 그대로 답변하시면 될 거예요.〉
신기하게도 열감으로 인해서 미칠 듯이 몸을 떨게 했던 오한이 온데간데없이 사라지고 서서히 통증도 가라앉으면서 겨우 안정을 찾고 누울 수 있었다.
경찰에게 민은 무어라고 답할 지 막막하였다. 잘못했다간 공식적으로 미친놈으로 정신병원에 보내 질 수도 있는 노릇이었다. 그가 생각을 정리하여 경찰에게 둘러댈 스토리에 고심하고 있을 때, 응급실 입구 쪽에서 두 명의 사내들이 들어와 그의 침대 쪽으로 다가오고 있었다.
그들의 그을린 얼굴빛과 생김새는 동남아인임이 틀림없어 보였다.

민은 그들을 보기는 했으나 머릿속으로는 복잡한 변명들을 지어내고 있었고 동남아인이 병원에 입원한 그를 찾아올 확률은 극히 낮았으므로 신경을 끊고 있었다.

그런데 그들이 지인들 인양 민의 침대 옆으로 와 누워있는 그를 내려다보고 있지 않은가?

민은 깜짝 놀라 그들에게 오감을 집중할 수밖에 없었다.

〈이름이 김 민이군요. 반갑습니다.〉

그중의 한 명의 타국인이 영어로 민에게 말을 걸었다. 나이는 40세 중, 후반으로 보였고 짧은 머리에 키는 큰 편이고 마른 몸매에 허름한 청바지와 어두운 회색의 점퍼를 걸치고 있었다.

〈누구시죠?〉

민이 어리둥절해하며 영어로 그들에게 물었다.

〈우리는 먼 부탄에서 김 민군을 만나러 온 사람들입니다. 아까 당신이 응급실에 실려 올 때부터 우리는 쭉 당신을 만나기 위해 기다리고 있었습니다.〉

〈왜죠?〉

민은 마취가 확 깨는 것을 느끼면 누워있던 상체를 세워 침대에 앉으면서 말했다.

〈믿기시지 않겠지만, 우리들은 당신의 존재가 이 부근 어디인가에 있을 것을 알고 있었습니다. 그러나 확실한 장소를 알지 못해서 카르마의 거센 칼날에 상처를 입게 될 당신을 기다리고 있었습니다. 다행히 응급실에서 외국인 근로자를 위한 통역을 자원할 수 있어, 이렇게 밤마다 당신을 기다린 것이 열흘이 지났군요.〉

민은 기가 막혔다. 그들은 그가 이런 일을 당해 이곳에 올 것을 추측하고 있었다는 것이 아닌가?

〈당신들은……, 도대체 뭐 하시는 분들이십니까?〉

〈우리는 부탄에 있는 탁상사원의 승려들입니다. 저는 앙카라고 하고 이쪽은 남게이라고 합니다.〉

〈승려라고요?!〉

민은 그들의 생뚱맞은 직업에 더욱 의문이 들었다. 그들의 행색은 승려라기보다는 한국에 돈을 벌러 온 외국인 노동자 같았기 때문이었다.

〈승려 분들께서 저를 기다릴 이유가 없는데요?〉

민의 말에는 그들을 의심스러워하고 있다는 투가 섞여 있었다. 하지만 그들의 유창한 영어실력과 앙카라는 승려의 촉촉이 물기에 젖은 커다란 눈동자를 보고 있노라면 반신반의하는 눈치였다.

〈당신은 '운명의 운반자'이기 때문입니다. 우리는 '운명의 운반자'들을 찾는 임무를 띠고 이곳 한국까지 왔습니다.〉

〈'운명의 운반자'라뇨? 그게 뭡니까?〉

〈지구생명체들의 생과 사의 마지막 고리라고 할 수 있죠. 당신이 태어나기 아주 오래 전부터 만물이 회생하여 다시 지구위에 생명이 시작될 때, 이미 당신의 운명이 정해졌지요. 우리는 당신이 살고 있는 이 주변에서 강력한 기운을 감지하였습니다. 그것은 제왕의 지독한 카르마이며 또한 당신의 카르마이며 세상 만물 존재들의 카르마의 기운이었습니다. 당신은 아마도 그 죽음의 카르마와 연결된 존재들의 환영을 보았을 것입니다. 그 카르마의 존재가 분명 죽음을 현실화하고자 했을 것입니다. 그렇지 않습니까?〉

놀라웠다.

몇 달 동안 자신을 괴롭혀 왔던 망령들에 관해, 그들은 뭔가 알고 있는 사람들이었다. 그렇다면, 그들이 그 이유와 극복할 수 있는 방법을 알고 있을까?

〈그럼, 당신들은 그 망령들의 존재가 무엇인지 알고 계신다는 겁

니까?〉
〈네, 알고 있지요. 그 존재들에 대해 말해 주겠습니다. 3일후 퇴원한 후에 저희와 동행해서 가 볼 곳이 있습니다. 거기서 망령들의 존재에 대해 말씀드리지요.〉
〈좋습니다.〉
승려들은 민에게 머리를 숙여 인사하고는 응급실을 나갔다.
민은 그들이 한 말의 10%도 이해할 수 없었다. 그렇다하더라도 자신의 비밀을 공유하는 누군가가 있다는 것이 묘하게 든든하였다. 그는 최근 몇 달간 죽고 싶을 정도로 외로움을 느끼고 있었기 때문이었다. 그리고 어렴풋이 그들이 자신을 지옥 같은 상황에서 구해 줄 수 있을 거라는 희망을 갖게 되었다.
'운명의 운반자'라니…….

3일 후 약속의 날, 두 명의 부탄승려들은 아침부터 민의 병실로 찾아와 마치 동료인양 퇴원수속을 마치고 입원비까지 정산하였다.
승려들과 동행하여 병원을 나서려는데, 그저께 병실로 찾아왔던 경찰이 병원 입구에서 기다리고 있는 것이 보였다. 민은 통증을 핑계로 경찰심문을 간신히 피했었지만 퇴원시간에 맞춰 만나러 온 듯하였다.
민을 발견한 경찰이 이름을 부르며 쫓아왔지만, 못들은 척하며 승려들을 재촉해서 병원 뒷문으로 빠져 나갔다.
승려들이 택시를 재빠르게 잡아, 경찰이 쫓아 나오기 전에 가까스로 그곳을 피할 수 있었다.
〈경주로 갑시다!〉
승려 앙카가 말했다.

〈경주요? 경주는 왜요? 여기서 4시간은 걸릴 텐데.〉

〈네, 가 봐야할 곳이 있습니다.〉

생각보다 먼 행선지에 약간의 불안감이 들었지만, 민은 그들이 이끄는 대로 잠자코 따랐다. 병원비를 계산한 것으로 보아서는 사기꾼들은 아니지 않겠는가?

승려들과 도착한 곳은 경주국립박물관이었다.

〈이곳은?〉

민이 승려 앙카를 보며 물었다.

〈보여 드리고 싶은 것이 있어 왔습니다.〉

승려들이 안내한 곳은 황금빛으로 빛나는 화려한 검이 있는 전시장이었다.

〈아, 정말 멋지고 화려한 검인데요? 경주에 살면서 왜 이런 검이 여기에 있는지 몰랐을까요?〉

민은 영문도 모른 채 황금빛으로 빛나는 보검에 정신이 팔려 버렸다.

〈이 검은 지금도 세계에서 가장 많은 고고학자들이 보기위해 찾아온다고 합니다.〉

승려 앙카는 안내인처럼 민에게 설명해 주었다. 주객이 전도되어 오히려 한국인인 민이 검에 대해 열심히 경청하고 있었다.

〈이게 그렇게 유명한 검입니까?〉

〈그럴 수밖에 없는 것이, 이 검은 한반도에서는 만들어 지지 않는 로마시대의 세공방식으로 만들어 진 것이기 때문입니다. 이것에 대해서는 많은 고고학자들이 다른 의견들을 내어 놓고 있지요.〉

〈로마시대?!〉

민은 소스라치게 놀랐다. 로마라는 말을 듣자, 어려운 퍼즐 맞추기에 고심했던 상황을 떠올렸기 때문이었다. 비행기로 16시간이나 떨어진, 여기 옛 '신라'의 땅에 덩그러니 발견된, 저 로마의 황금보검은 망령들의 괴기스러운 라틴어와 닮아 있었다.

〈아니, 이 검이 어째서 여기에 있는 겁니까?〉

민은 황금보검 아래 안내 글을 읽기 시작했다. 이 검은 1973년도에 배수로 공사를 하는 중에 미추왕릉 고분군 200개의 무덤 중에서 14호 고분에서 발견된 것이었다. 보검의 옆쪽으로는 함께 발견된 금 귀걸이와 금으로 만든 사자머리형상의 버클이 함께 전시 되어 있었다.

〈이 검이 발견된 무덤의 주인은 당신의 선대 할아버지입니다.〉

앙카가 조심스럽게 말을 꺼냈다.

〈뭐라구요? 우리 선대 할아버지라구요?〉

〈네, 사실은 저 황금보검은 현재 세계에 3 군데 존재합니다. 하나는 우즈베키스탄 타슈겐트의 보로워에에 있고 또 하나는 타클라마칸 사막 둔황석굴의 벽화에 존재하고 나머지 하나는 여기 이곳 경주에 있습니다. 하지만 이 황금보검은 원래 6개가 만들어 졌습니다. 그 중에 하나를 황금보검의 6번째 수호자인 미주크왕(미추왕)께서 가지고 계시다가 나중에 이 고분의 주인과 함께 묻히게 된 것이지요.〉

〈이 무덤의 주인은 어떤 사람입니까?〉

민은 다그쳐 물을 수밖에 없었다. 그가 그렇게 알고 싶어 했던 망령들에 대한 실마리가 풀리려하고 있었다.

〈4세기 말경, 이 무덤의 주인은 아버지의 유언을 받들어 탁상사원으로 찾아와 물건을 되돌려 놓는 임무를 수행후 할아버지인 문주크왕의 친족이 세운 동쪽 끝, 형제의 나라로 도피해야만 했습니다. 서쪽으로 돌아간다면 그의 목숨을 노리는 자가 한 둘이 아니었으니까요. 그렇게 이 무덤의 주인인 이르네크왕자는 '6번째의 집행관'인 미주크왕이 다스리는 나라인 '서라벌'(sena-bal ; 라틴어로 '6번째 집행관의 나라'라는 뜻 ; 신라의 옛 이름)로 오게 되었습니다. 그의 아버지인 아틸라왕은 그를 장님으로 만들었습니다. 그래서 그 모든 여정은 쉽지 않았지요.〉

〈지금 아틸라왕이라고 하셨나요?〉

민은 옛 훈족의 왕인 아틸라왕에 대해 언젠가 TV에서 다큐멘터리를 본 적이 있었다. 아틸라왕은 4세기경의 막강했던 훈족의 왕으로 아시아에서 유럽의 로마까지 지배한 제왕중의 제왕이었다. 그런데 지금 승려 앙카가 아틸라왕에 대해 언급하는 것이 아닌가?

〈네, 이 무덤의 주인인 이르네크왕자는 아틸라왕의 셋째 아들이셨습니다.〉

그랬었다.

그렇게 퍼즐이 맞아 떨어졌다. 그를 찾아오는 라틴어를 구사하는 로마의 망령들이 어떤 존재들인지 이제서야 알게 되었다.

〈그렇다면 그 망령들은 이르네크왕자를 저주하는 원귀들인가요?〉

〈그렇다고 할 수도 있지요. 선대인 문주크왕과 아틸라왕의 카르마일 수도 있구요. 우리가 당신을 찾아온 이유도 역시 이것 때문입니다. 당신은 당신의 선대 할아버지인 세계제왕의 카르마를 끝장내야 하는 운명을 타고 나셨습니다. 이제 당신은 결정하셔야합니다. 우리와 함께 길을 떠나 그 카르마를 끝낼 것인가, 아니면 계속 그 카르마의 저주에 죽음의 공포를 느끼며 살 것인가. 둘 중에 결정을 하셔야 합니다.〉

〈아아……, 이것인가?〉

민은 탄식했다.

그는 그 안에 어렸을 때부터 품어왔던 모든 퍼즐을 맞춘 것과 같은 안도감이 밀려왔다. 그리고 가슴속에 내재되어 항상 꿈틀거리던 강한 의무감의 실체를 이제야 알 수 있었다.

〈당신은 인간의 역사에서 가장 많은 카르마를 낳은 제왕의 카르마를 종식시켜야할 임무를 수행해야만 합니다. 그 과정은 이번 생에 존재했던 모든 생명체들의 카르마의 종식이 될 것입니다. '카르마의 종결자'의 운명을 타고난 당신은 가장 '아름다운 종결'을 위해 선택된 자입니다.〉

〈세상 모든 카르마의 종결자 라구요? 왜 하필 제가요?〉

〈당신은 제왕의 후예이기 때문입니다. 세계제왕은 카르마의 종결자의 운명을 지도록 처음부터 설계되었으니까요. 세상에서 가장 많은 카르마를 가진 자로 계획되었을 때, 이미 그 후예가 그것을 종결해야하는 운명이 결정된 것입니다.〉

민은 더 이상 물러 설 수없는 운명이란 이런 것이란 것을 뼈저리게 느꼈다. 그리고 그는 뭐라고 설명할 수 없는, 머리에서 발끝과 손끝까지 뻗쳐 나가는 강렬한 기운을 느꼈다.

〈카르마를 종결하기 위해서는 제가 무엇을 해야 합니까?〉

민은 결심이 선 듯 승려 앙카에게 물었다.

〈저희와 함께 '사자의 서'를 운반하는 '운명의 운반'을 위해 떠나서야합니다. 그 여정에서 카르마의 종결이 무엇인지 스스로 깨닫게 되실 것입니다.〉

비현실적인 망령들에 대해 세상 어느 누구도 민을 이해해 줄 수는 없을 것이다. 모두들 그를 미쳤다고 할 것이다. 결국 민은 그 모든 결정이 이미 내려졌음을 깨달았다.

어느 누구에게도 설명해 줄 수 없다면 그 스스로 해결해야만 할 것이다. 망령의 존재가 그렇듯 '운명의 운반'이라는 판타지 같은 일은 모두들 소설책에서나 읽을 것이다. 사람들은 각자의 현실을 살고 있을 뿐이다.

그러나 민에게 있어 이 일은 현존이다.

앞으로 그에게 무슨 일이 일어날지 그는 알 수 없었다. 하지만 그는 뚜렷하게 알고 있었다.

그 일은 자신이 해야만 하는 일이라는 것을…….

그리고 자신 외에는 어느 누구도 할 수없는 일이라는 것을…….

제3장. 제왕의 후예 2

2. 메시아

〈이 사라님, 들어오세요!〉

한참동안 의미 없이 잡지를 뒤적이던 사라는 주섬주섬 가방을 챙겨들고 진료실 안에 들어섰다. 거의 6개월간 이 문을 들락거리고 있지만 그녀는 아직도 뚜렷하게 무엇 때문에 이곳으로 들어가는지 그 실체를 찾지 못하고 있었다. 믿음이 없는 신자가 일주일에 한 번씩 교회에 가는 느낌이랄까.

〈안녕하세요.〉

〈어서 오세요.〉

언제나 주고받는 같은 인사였다. 마치 일터에서 만나는 친하지 않은 사람에게 의례히 하는 형식적이고 반복적인 그런 것.

〈그래, 이 사라씨 요즘 운동하고 있어요?〉

〈네, 헬스장에 안 빠지고 가려고 무지 애를 쓰는데, 잘 안되네요. 일주일에 한번을 겨우 다니고 있어요.〉

〈어우, 그럼 안 돼요. 운동으로 좀 에너지를 발산해줘야, 증상들이 가벼워질 거예요. 약은 꼬박꼬박 챙겨 드시고 계시죠?〉

〈네.〉

정말 판에 박은 듯 똑같은 얘기를 6개월 동안 토시하나 틀리지 않고 반복하고 있다니.

〈자꾸 살이 빠지는 것 같은데, 식사는 어떠세요?〉

〈네…… 그럭저럭 뭐 그래요. 입맛이 없어서……〉

그랬다.

사라는 6개월 동안 7kg나 살이 빠졌다. 폭식하는 성향이 있어 다이어트 생각을 항상 하던 그녀였는데 간단히 그 살들이 빠져주고 있었다.

하지만 그녀는 미각을 잃었다. 그녀의 혀는 기능을 멈춰 짠맛과 단맛, 매운맛을 느끼지 못했다. 목구멍의 밥알들은 모래알처럼 어석거리고 역겹게 느껴졌다. 어떤 날은 밥을 먹을 수 없어 물에 말아 울면서 먹은 적도 있었다.

〈요즘도 그 남자 분 생각을 하시나요?〉

〈아… 아뇨. 시간이 지나서 그런지 이젠 얼굴도 잘 기억 안나요.〉

그 남자.

사라가 사랑한다고 믿었던 사람이었다. 2년을 교제해 결혼하리라고 생각했었던 남자였다.

의사는 말없이 자동적으로 답변을 하고 있는 그녀의 팔에 혈압측정계를 둘러 수치를 재었다.

〈시간이 약이야. 선생님도 이젠 머 다 늙은 50대지만, 지나고 나니깐 그런 실연의 아픔은 추억이 되서 남더라구.〉

사라는 그녀가 이런 식의 말을 하는 것이 좋았다. 의사가 아니라 알고 지내는 지인이 충고처럼 하는 이런 말. 이것은 그 경험을 지나온 사람만이 할 수 있는 말이리라. 그래서 사라에게는 이런 식의 말이 더욱 마음속으로 다가왔다.

〈141에 82에요.〉

〈높은가요?〉

〈네, 좀 높게 나왔지만 처음 왔을 때보다는 머 양반이죠.〉

처음 이곳을 찾았을 때, 사라는 마치 무슨 큰일을 당한 사람인양 엉엉 울어대었다. 하지만 선생님은 말없이 그녀가 진정할 때까지 기다렸다가 그녀의 혈압을 재었다. 160에 육박하던 경악할 수준의 혈압이 나왔었다.

〈오늘은 저번 주에 하던 가족이야기를 좀 이어서 해볼까요?〉

〈네··· 아버지······ 얘기요?〉

〈맞아요. 아버지께서 어머니와 이혼하고 재혼 하셨던 이야기였어요. 그 이후의 이야기를 해 볼까요?〉

〈제가 갓난아기였을 때 두 분이 이혼하시고 새어머니와 바로 재혼하셨다고 해요. 그때 새 어머니는 제 배다른 남동생을 임신중이였죠. 그런 상황에서 갓 태어난 아기가 자신의 살 길을 본능적으로 찾아간 거죠. 할머니가 그러시는데 제가 백일이 좀 지나서는 일어나서 걷기 시작하더니 좀 있다가는 뛰어 다녔대요.〉

사람들은 이런 그녀를 신동이라고 했다. 생각해보면 정말 슬픈 일이 아니던가? 갓난쟁이가 자신을 이뻐하지도 잘 보살피지도 않았을 새어머니 밑에서 자신의 삶을 유지하려는 그 본능적인 몸부림이······

〈친어머니는 어떠신가요? 그 후로 뵌 적이 있나요?〉

〈아뇨. 그냥 나중에 좀 커서 얼핏 어디선가 들은 소린데, 이혼하시고 곧바로 재혼 하셨다고······〉

〈아, 그렇군요. 그럼 유년기로 이야기를 옮겨 볼까요?〉

〈제가 초등학교 들어 갈 무렵쯤에 아버지가 다시 이혼을 하시고 재혼을 하셨어요. 연년생인 남동생과 저는 곧바로 새어머니를 맞이했죠. 그 이후 새어머니가 배다른 여동생을 낳았어요.〉

〈그럼 배다른 동생들과는 잘 지내나요?〉

〈네, 머 아주 끔찍이들 서로 여기지는 않지만 가끔 연락 주고받고 해요.〉

〈그래도 공부 열심히 하셨나 봐요? 명문대 영문학과로 진학 하셨

으니……〉
〈네, 제가 집에서 벗어날 수 있는 방법은 그 길 밖에 없다고 생각했었죠.〉
〈번역일을 하신다고 하셨는데 일은 어떠세요?〉
〈번역일이라는 게 시간이 정해져서 작업이 이루어지기 때문에 스트레스가 많았어요. 근데 6개월 전부터 그냥 프리랜서로 전향하고 나니깐, 돈은 좀 덜 벌더라두, 훨 나아요.〉
나름 일터에서 흠잡을 때 없는 일꾼으로 정평이 나 있었지만, 항상 일을 산더미처럼 쌓아 놓고 하다 보니, 개인적인 시간은 거의 금쪽같았다.
그래서 그 남자는 그녀를 떠난 것일까?
사라는 그 모든 이유를 일에다가 떠넘기고 있었다. 그리고는 사표를 냈다. 워낙 완벽주의적인 그녀의 번역을 맘에 들어 하던 팀장의 만류로 비록 완전히 떨쳐 버리지는 못했지만……
〈혹시, 친어머니와 아버지의 이혼 사유에 대해 알고 계시나요?〉
〈네에……〉
사라는 그녀답지 않게 대답을 머뭇거리고 있었다.
〈전에도 말씀드렸지만 말하기 싫음 안 하셔도 되요. 언제든 사라씨가 하고 싶을 때 하세요.〉
〈아뇨……〉
그녀는 선뜻 말할 수가 없었다. 그녀 자신도 사실이 아닐 거라 부정하고 싶었다. 그럴 수만 있다면……
단 한사람, 그 남자에게만 말했던 비밀이었다.
〈할머니가… 할머니가….〉
〈네. 계속하세요.〉
〈할머니께서 제 쌍둥이여동생을 태어나자마자 엎어 놓으셨대요.〉

〈아! 저런!〉

〈옛날 사람들 중에서는 그런 풍습이 있었다고……〉

아직도 사라에게 있어, 자신의 반쪽에 대한 연민과 미안함으로 괴로운 밤을 불면으로 보내게 하는 우울의 깊은 밑바닥에 자리한 비밀이었다. 어렸을 때 우연히 친척들이 수군거리는 것을 들었던 기억이 있었다.

그 후 사춘기시절에 접어들면서는 급격히 말수가 줄어들었던 그녀였다.

〈그리고 가장 큰 요인은 아버지의 외도였죠.〉

그 부분에서 선생님은 다시 한 번 그녀의 혈압을 측정했다.

〈꿈은 어떠세요? 요즘도 악몽을 꾸나요?〉

〈아뇨, 요즘은 자꾸 예지몽을 꾸어요.〉

〈예지몽여? 어떤 꿈인가요?〉

〈결혼한 친구가 호랑이 두 마리에게 쫓기는 꿈을 꿨어요. 그래서 친구한테 전화해서 혹시 임신이냐고 물었죠. 그랬더니 친구는 무슨 말이냐고. 자기네는 피임 철저히 한다는 거예요. 근데 며칠 전에 전화가 걸려 왔어요. 임신 3개월이라고 하더라구요.〉

〈그렇군요. 오늘 진료는 여기까지 할게요.〉

벌써 몇 개월째 그녀는 공기 중을 떠도는 먼지 같은 기분으로 자신의 정체성을 잃어버린 채 헤매고 있었다. 도대체가 어디서부터가 문제인지 그녀자신도 그녀를 알 수가 없었다.

이렇다하게 이름이 붙은 병명도 아니었다. 하지만 여러 가지 알 수 없는 증상들은 그녀를 매일 매시간 매초 괴롭히고 쫓아 다니고 있었다.

그녀 내부에서 감정을 조절하는 센터가 고장이 났다. 어떨 때는 불쑥불쑥 난데없이 모든 걸 부셔 버리고 싶은 강력한 분노가 머리끝까지 치솟아 올라, 무슨 사고를 칠 것처럼 감정이 사나워졌다. 하지만 그 분노의 이유가 무엇 때문인지 그녀 자신도 몰랐다.

프리랜서 번역 일을 주고받는 옛 직장의 사람들도, 친구들도, 또 배다른 동생도 모두가 위선덩이들처럼 느껴졌고 절대로 자신이 잘 되길 바라는 인간은 이 세상에 아무도 없는 것만 같았다.

그녀는 철저하게 관계들에서 고립되었다. 그리고 그녀는 매일 밤 불면으로 찾아드는 실존적인 허무와 존재적인 불안감으로 잠을 이룰 수가 없었고 공포심에 버금가는 강력한 알 수 없는 이런 종류의 불안감은 그녀의 온 몸을 덜덜 떨게 만들었다.

〈앗!〉

또 시작이었다. 숨이 쉬어 지질 않았다. 이마에는 식은땀이 흐르고 금방이라도 숨이 넘어 갈 것 같았다. 공간의 공기들이 일시에 빠져 나가 사라져 진공상태에 놓인 것 마냥 질식할 것만 같았다. 그녀에게는 삶 자체인 이 세상이 진공상태인 것처럼 너무나도 두렵게 느껴졌다.

그녀는 손으로 가슴을 치고 앉았다, 일어섰다, 산책을 나갔다가, 별의 별 방법을 다 써 봐도 안 되었다. 그러다가 퍼뜩 선생님이 처방한 비상약이 떠올랐다. 반 알 씩으로 나누어 담긴 알약을 한 알만 먹으라는 규정도 어기고 3알을 집어 삼켰다.

그리고는 갑자기 이렇게 자신도 알 수 없는 공포감에 온 몸을 떨며 숨도 제대로 쉬지 못하는 자신이 너무나 한심스러워 자신의 손으로 얼굴을 세차게 후려 갈겼다.

그녀의 가녀린 몸이 소파에 내동댕이쳐질 정도의 강도였다. 코에서는 코피가 '뚝뚝' 떨어지고 있었다.

그녀는 하염없이 눈물을 쏟으며 소리 내어 크게 웃었다. 그 소리는 거의 동물의 울부짖음에 가까웠다.

그녀는 도무지 제어할 수 없이 제 멋대로 고장나버린 자신이 이해가 되지 않았다.

어디서부터가 잘 못된 것일까?

여긴 어디지? 그렇다. 낯이 익은 장소다. 아… 번역 사무실이구나. 내가 팀장실 내부의 손님용 의자에 앉아 있네. 도대체 팀장은 어딜 간 거지? 팀장실문이 열린다. 어떤 여직원이 들어와 나에게 서류봉투를 내민다. 일거리로군. 서류봉투위에 무어라고 글이 써 있는데, 자세히 보이지 않는다. 근데… 저 여직원 못 보던 얼굴인데…… 차갑고 어두워 보이는 여직원은 팀장실을 나가면서 내 쪽을 향해 정면으로 서서 나의 얼굴을 빤히 쳐다보고 있다. 이상하게도 사무실내에 어느 누구도 명찰을 착용하지 않았으나 뚜렷하게 명찰이 눈에 뜨인다. '차 예지?' 이쁜 이름이네. '차 예지, 차… 예지……'

'따르르릉, 따르르릉'

오전 9시의 아침햇살이 창문으로 쏟아져 들어오고 있었다.

사라는 지난밤 와인 한 병을 다 비우고서야 새벽 6시가 넘어 겨우 잠 들 수 있었다. 그녀는 떠지지 않는 눈을 감은 채로 침대 머리 쪽 창문가에서 카키색의 커튼을 잡아 당겨 햇볕을 가렸다.

그리고는 이맛살을 잔뜩 찌푸린 채 보체는 아이마냥 울어대는 전화 수화기를 집어 들었다.
〈여보세요.〉
겨우 잠든 잠을 깨운 이를 꾸짖는 듯이 목소리에는 잠투정이 담긴 짜증이 배어 있었다.
〈여보세요? 저기……〉
수화기 너머에서 초등학교 2, 3학년생정도의 머뭇거리는 남자아이 목소리가 들렸다.
〈네?! 누구세요?!〉
사라는 거의 왜 전화했냐고 싸우기라도 할 기세로 물었다.
〈거기…… 혹시 '차 예지'네 집이에요?〉
〈네?! 잘못 거셨어요!〉
'철컥!'
수화기가 부서져라 내려놓고, 사라는 당당하게 적군을 응징했다는 듯이 베개에 머리를 파묻고 이불을 잡아당겨 덮고는 다시 잠을 청하려고 하였다. 그런데.
'차 예지?'
사라는 공포영화에서 죽은 좀비가 눈을 번쩍 뜨듯이 갑자기 두 눈을 부릅떴다. 그리고는 다시 잘듯이 챙겨 덮었던 이불을 박차고 벌떡 일어나 앉았다.
'뭐지?'
뒤죽박죽이 되어 정체성과 존재적 감각을 잃어버린 잠들지 못하는 그녀의 영혼은 꿈에서까지 이상해지고 있는 것일까?
사라는 자신이 잠에서 깨어 수화기를 들기 전까지 꿈속에서 환영처럼 보았던 여직원과 명찰을 기억해 내었다.
뒷머리에서 등 뒤로 차가운 번개가 내려 꽂혀서 정신이 퍼뜩 들고 온몸의 피부는 소름이 돋아나 그녀의 심장의 상태가 그러하듯,

잡아당기듯 팽팽한 긴장상태였다.
꿈속에서 '차 예지'는 명찰에 적힌 이름이었다.
그런데 정말로 그 사람을 찾는 전화가 현실의 그녀에게 걸려온 것이었다.
순간 사라는 자신이 정신분열이 일어나고 있는 것은 아닐까 의심스러워 의사선생님께 전화를 걸려고 재빠르게 수화기를 들었다. 그러다가 뒤섞여 버린 그녀의 허둥대는 감정들과 종잡을 수 없는 마음들이 벌써 6개월간 지속되고 있는 상태인 지금, 침착하게 서두르지 말고 심사숙고하자는데 생각이 멈췄다.
들었던 수화기를 놓고, 그녀는 이미 잠이 완전히 깨어 버린 놀란 정신 상태를 더욱 명료히 하자는 생각에 찬물로 세수를 하였다. 커튼을 걷어 젖히고 창문을 열고 정신을 맑게 할 수 있는 상태로 만들기 위해 애썼다.
근래에 예지몽을 자주 꾸긴 했어도 방금 것은 뭐가 뭔지 정의를 내릴 수도 없었고 그냥 공포스럽기만 하였다.
전혀 알지도 못하는 사람의 이름을 보고 그 사람을 찾는 전화가 걸려 온다?
그녀는 방안을 이리저리 서성이다가 불안한 마음을 가라앉히려고 습관적으로 TV를 켰다. 아침 뉴스가 한창이었다. 걸려온 전화에 대한 생각에 멍하니 생각의 초점을 맞추고 뉴스의 화면을 보고 있었다.

'오늘 새벽 목동의 A고층아파트에서 고등학교 2학년에 재학 중인 차 예지양이 투신자살을 했습니다. 이는 아침에 출근 중이던 이웃 주민의 신고로 발견되었습니다. 당시 차양은 목동 B고등학교 교복 차림이었으므로 신원을 확인할 수 있었습니다. 차양의 교복주머니에서 유서가 발견된 것으로 알려 졌는데 유서 내용은 친구들로부터 집단따돌림과 폭행으로 살고 싶지 않았다고 적혀 있었다고 합니다.'

〈뭐……?! '차 예지'?〉

TV화면 앞에 얼어붙은 듯, 선 채로 꿈속에서 보았던 그 얼굴 그대로의 '차 예지'라는 명찰을 단 여직원의 모습을 뚫어져라 쳐다보고 있었다. 학생증에 붙은 교복 입은 차양의 사진을 그녀의 꿈은 투영하고 있었던 것이었다.

도대체 왜?

갑자기 코에서 코피가 흘러 바닥에 떨어졌다.

그녀는 멍하니 그런 상태로 한참을 서 있었다.

요상하게도 그 모든 것들을 제 3자처럼 관망하듯 관찰하고 있는 스스로를 느끼고는 한 번 더 놀랐다.

뭐냐고? 이젠 정신분열증인가?

그녀는 무릎을 꿇고 고뇌스럽게 머리를 감싸 방바닥에 절을 하듯 엎드려 자신이 어디에 있는지, 누구인지, 어떤 시간대인지, 꿈과 현실은 어떻게 다른지, 지금의 자신이 자기 자신이긴 한 것인지 끊임없이 묻고 있었다.

이 사라, 그녀가 바라는 것은 남들과 같은 평범한 정신 상태였다.

남들처럼 일도 하고, 사람들도 만나서 웃고, 인생을 즐기고, 남들처럼 보란 듯이 사랑도 하고, 아끼고 그런 것이었는데, 일상적인 이런 일들이 왜 그토록 그녀에게는 어려운 일이 되어 버린 것일까?

어린 시절 맞추던 퍼즐을 떨어뜨려 모두 엉망이 되어 버린 것처럼 그녀는 그녀의 인생에서 이것이라 정의 내릴 수 있는 형체, 그 모든 것을 잃었다.

실체! 그렇다. 그녀는 투명인간처럼 실체가 없는 존재가 되어 가고 있었다.

오히려 남들이 들으면 비웃음 받거나 미친 사람취급이나 당할 망할 놈의 이상한 능력 따위는 필요 없었다. 세상 어느 누구도 그녀를 그런 사람이라고 믿어주거나 대단하게 여겨줄 이는 없었다.

의사선생님은 단지 마음의 감기라고 말했다.

그것이 감기바이러스라고 한다면 이것은 그녀의 내부의 모든 DNA를 변형시키고 인간이란 원형질을 한 번도 알지 못하는 존재와 영역으로 자신을 바꿔가고 있었다. 얼마나 그 가혹한 형질변화가 계속될 지, 그리고 무엇보다 그녀가 얼마나 그 변화를 버텨낼 수 있을 지 알 수가 없었다. 그녀는 현실과 비현실 경계 어디쯤에 있는 이상한 나라의 앨리스가 되고 말았다.

그냥 남들처럼 행복해지고 싶었다.

생각해보면 그녀는 단 한순간도 행복하다고 느끼는 순간이 없었던 것 같았다.

아무것도 발목 잡을 것 없는 자유인인 그녀가 행복하지 않은 이유는 무얼까?

그녀의 삶은 검은 장막에 가리운 무대 같았고 그녀는 그 무대에서 숨도 제대로 쉬지 못하고 바닥에 누워 형체가 없는 누군가의 구둣발에 목을 밟힌 채 겨우 할딱거리며 죽지 못해 목숨을 부지하고 있는 가련한 상태로 여겨졌다.

이 덫에서 어떻게 나가지?

여고생의 자살사건 이후 그녀는 며칠째 집밖 출입을 하지 않았다. 매주 수요일은 정신과 상담예약이 되어 있는 날이었지만 그것마저도 그녀는 원치 않았다.

생에서 그녀가 원하는 것은 아무것도 없었다. 그리고 그녀가 사는 목적도 없었다. 아무런 계획도 세울 수 없었고 행위를 할 어떤 의욕도 사라졌다.

이 사라는 삶으로부터 나오는 모든 것을 마음에서 내려놓았다.

그리고 그대로 그녀는 사라지면 되는 것이었다.

그렇게 결심하고 난후 그녀는 자신의 내부 깊은 곳 어둡고 무거우며 어떤 곳보다 고요한 심연의 바닥에 가 있다는 것을 느꼈다.

이 고통스러운 삶을 끝내기로 하였다.

그녀는 자살한 '차 예지'의 마음의 흐름과 동일시될 수 있었다. 그 영혼은 고귀한 것이 아니라 이미 시궁창에 굴러 떨어져 가치없이 버려진 죽은 것이었다.

이미 영혼은 죽었는데 육신만이 유령처럼 숨쉬기를 버거워 하며 현생과의 경계를 느끼고 있었다.

그녀는 어떤 것도 의미 없음을 느꼈다.

그녀 내부의 영혼의 흔들림과 진동은 육신을 떠나고자 몸부림치고 있었다.

사라는 목동의 A아파트 같은 동의 옥상을 찾았다. 보름달이 유난히 밝게 뜬 그날 밤은 생을 마감하기에 정말 고즈넉하고 낭만적이라고 생각했다.

그녀는 예지양이 섰을 그 옥상에 서서 주변 고층빌딩숲의 불빛들이 난무하는 도시를 조망했다. 그녀는 그 불빛들을 경멸하던 마음마저도 내려놓았다.

그리고 꿈속에서 차가운 눈으로 자신을 정면으로 주시하던 예지양의 모습과 마주할 수 있었다.

〈나도 갈거다.〉

두 팔을 벌려 달빛을 모두 흡수라도 하듯이 고개를 들고 옥상 이리저리를 천천히 걸었다. 그 순간 그녀는 환희에 찼다. 드디어 이 두렵고 공포스럽고 외로운 삶을 끝낼 수 있다는 생각에, 또 그 후에는 행복해 질 수 있을 것만 같다는 생각에 평생 처음인 듯 마음에 평온함이 찾아들었다.

모든 것을 놓고 나니까 하늘을 날듯 몸이 가벼웠다.

그런데,

문득 돌아본 옥상 위 4개의 굴뚝 중 첫 번째 굴뚝 뒤편에 반짝이는 무언가가 눈에 뜨였다. 그것은 가방이었다. 그녀는 어떤 예감에 다가가서 가방을 집어 들었다. 가방 안을 뒤지자 '차 예지'라고 적힌 책과 노트들이 나왔다. 그리고 봉투하나가 나왔다. 봉투 안은 비어 있었으나 봉투 겉에는 무언가 글자가 적혀 있었다.

'필요하다는 20만원. 바빠서 미안. 엄마가-'

〈엄마가…… 미안……〉

사라는 이 글의 정황이 영화를 보듯 머릿속에 그려졌다. 직장여성인 바쁜 엄마가 딸이 상납하려고 타낸 용돈을 이유도 묻지 않고 그저 바빠서 미안하다는 말과 함께 남긴 글인 것이었다.

갑자기 화가 치밀었다.

그녀는 엄마에게서 미안하다는 말조차 아직 듣지도 못했다. 아니 얼굴조차도 모르지 않은가?

억울하고 분했다.

모든 것을 내려놓은 고요한 마음상태가 그녀 자신의 마음속 밑바닥을 확연히 드러내고 있었다.

그녀의 내부에서 거부하고 외면하고 장막을 쳐 가리기만 했던 어두운 젤 밑바닥 나락에서 그 열쇠를 주웠다.

그리고 그녀는 알 수 없었던 분노의 이유를 그 순간 처음으로 들여다보고 있었다.

그토록 미칠 듯이 몸속을 역류하던 그 드센 분노의 정체를 말이다.

자신을 버린 친어머니. 세상에 내어 놓기만 하고 그 존재를 한 번도 보여준 적이 없었다. 그 따뜻한 존재가 사랑의 눈으로 그녀를 어루만져만 주었다면 그녀는 세상에 홀로 우뚝 솟아 있는 자신 존재의 무거움을 견딜 수 있었을 것이다.

〈어디 있어?! 당신은 왜 나를 낳은 거냐고?! 왜?!〉

그날이후 사라는 자살을 미루었다. 적어도 자신에게 그토록 고통을 주던 분노의 대상을 만나야겠기에, 그리고 미안하다는 말을 들어야겠기에…….

일 년에 겨우 한두 번 명절 때에만 얼굴을 비추던 평택의 고향집으로 내려갔다.

평생 새어머니와는 말을 섞어도 오히려 피붙이인 아버지와는 거의 말을 않고 살았던 그녀였다.

〈아버지, 친어머니 살고 있는 주소 아세요?〉

그녀 또래 나이의 친구들 중에서 아버지를 '아빠'라고 부르지 않는 사람은 거의 없었다. 하지만 그녀는 '아빠'라고 부르는 것을 거부하고 마치 60년대 사람처럼 '아버지'를 고집했다. 그것은 그녀 스스로 '아버지'라는 존재를 사랑의 존재가 아닌, 낳아준 존재로만 받아 들이기로한 결심에서 나온 것이었다.

〈딴 집으로 시집간 사람을 뭐 하러 찾어.〉

평생을 가야 말 한번 안 걸던 딸자식이 건넨 말에 아버지는 퉁명스럽게 답했다.

〈저도 이제 성인이니 친어머니를 만난다고 해도 달라질 건 없어요. 그냥 궁금한 거니깐 어디에 사시는 누구인지 알려주세요.〉

아버지는 잠시 생각하더니 작은 전화번호노트를 꺼내서 필요 없다는 듯이 한 장을 찢어 사라에게 건넸다.

'충청남도 천안시 **동 **번지 박 영자'

주소 아래에는 바뀌기 전 옛 국번을 가진 전화번호가 적혀 있었다.

이렇게 쉽게 순순히 아버지가 친어머니의 연락처를 내어 놓을 지는 상상도 하지 못했었다. 전에는 늘 전화기 옆에서 나뒹굴고 있던 저 노트를 왜 볼 생각을 안했었는지…….

〈벌써 27년이나 지난 거니까. 바뀌었을 거여.〉

퉁명스럽게 말하고는 아버지는 나가 버렸다.

사라는 전화국으로 전화를 걸어 긴 세월동안 두 번이나 바뀐 지역번호를 간단하게 알아냈다.

종이위에 수정된 전화번호를 머릿속에 되뇌며 한참을 들여다보기만 하다가 핸드폰으로 전화번호를 누르고 뚜렷한 신호음을 확인한 뒤에는 전화기를 붙잡고 있는 손바닥, 전화기가 닿아 있는 귀며, 머리에서 발끝까지 그녀의 신체기관 곳곳과 피부가 마치 모두 심장화된 것처럼 펌프질을 해대며 두근거리고 있었다.

'뚜우우- 뚜우우- ……'

전화기 신호음은 아득한 먼 과거로부터 잊혀졌던 천근만근 같은 인연을 끌어 올리는 견인차마냥 무의식 깊은 곳에서부터 그 실체를 드러내려 숨 가쁜 기계음을 내었다.

〈여보세요?〉

사투리가 없는 중년 여성의 목소리였다. 사라의 가슴은 목과 손이 뻐근해질 정도로 두근거리고 있었다.

〈여보세요…? 혹시… 박 영자씨댁인가요?〉

〈누구…… 신가요?〉

〈여기… 평택에 '이 사라'라는 사람인데요.〉

이렇게 이름을 밝히면 과연 당신이란 사람, 딸인지 알까? 사라는 그녀의 어머니를 시험에 들게 하고 싶었는가 보다. 그러나 한편으로는 반항심, 한편으로는 걱정스러운 마음으로 오히려 자신이 시험의 덫에 빠져버려 머릿속은 오만가지 생각이 교차하고 있었다.

〈사라……? 정말 사라라고?〉

〈……네에.〉

순간적으로 안도감 같기도 하고 원망 같기도 한 묘한 감정을 느끼며 사라는 낮은 목소리로 답했다.

〈허…참…, 좀 일찍 전화하지……. 니 엄마 돌아가시고 나니깐 전화를 하는구나.〉

전화기 너머의 중년여성은 흐느끼는 듯 한숨을 쉬며 말했다.
〈네?! 돌아… 가셔요?〉
〈나는 니 이모야, 니 엄마 여동생. 너희 엄마, 3년 전에 50을 못 넘기고 돌아 가셨어. 전화번호를 그 썩을 놈의 형부인지 난봉꾼인지 잡놈이 이제야 갈켜 줬나 보구나! 사라야, 너는 나를 꼭 봐야 해. 내가 정말 너에게 해줄 말이 많거든.〉
사라는 온 몸의 맥이 풀려 겨우 전화기를 붙잡고 있었다. 현기증이 밀려와 눈앞이 캄캄해져서 바닥에 주저앉아야 했다.
그렇게도 오랫동안 그녀가 외면하며 마음 깊숙이 숨겨둔 자신의 진심을 이제야 들여다 볼 열쇠를 찾은듯한데, 그리고 앞으로는 그런 것들을 찾고 발산하고 확인하고 느끼며 살 거라 생각했었는데, 세상은 그녀에게 그런 기회조차 주지 않는 걸까?

그녀는 깊은 절망감을 느꼈다.

다음날, 오전 11시경에 천안 시외버스터미널에 도착했다.
거기에서 시내버스 600번을 타고 45분정도 들어가면 광덕사라는 절이 나왔다. 오래된 사찰이라서 그런지 버스에서부터 관광객들과 등산객들이 꽤 눈에 띄었다.
절의 입구에 다다랐을 때, 사라는 전화기를 꺼내 들고 어머니의 여동생이 불러 주었던 휴대전화번호를 눌렀다. 신호음과 동시에 5m정도 떨어진 곳에서 사람들의 무리에 섞여 있던 한 중년의 여자 분이 수화기를 드는 것이 눈에 들어왔다. 여자는 위아래 회색으로 맞춘 불교신도들의 복장을 하고 있었다.
핏줄의 힘일까? 서로 눈이 마주친 둘은 직감적으로 서로를 알아보았다. 둘은 천천히 상대방에게로 다가섰다.

〈니가 사라구나? 이제 다 큰 아가씨가 되었네.〉

〈…….〉

여자는 금테 안경에 단아하게 틀어 올린 머리와 화장 끼가 약간 배어 나오는 단정한 외모에 야무진 입술을 가진 중년 여성이었다. 그 얼굴은 사라가 아주 오래전 어렴풋이 어렸을 적 학교에서 엄마 얼굴 그리기를 하면 상상하곤 했었던 그대로였다.

〈언니가 너의 이런 모습을 봤으면 얼마나 좋아했을까.〉

〈…….〉

사라는 아무런 대답 없이 여자가 이끄는 대로 따라갔다. 그녀는 절의 대웅전 입구로 들어갔다. 역시 사라는 질문 없이 여자를 따라 신발을 벗고 대웅전으로 들어섰다. 대웅전 안에는 스님 한 분이 앉아서 명상에 빠져 있었고 다른 불교 신도들 몇몇이 108배를 하고 있었다.

〈언니, 사라가 왔어. 사라야, 여기에 너희 엄마 위패를 모셨다.〉

〈…….〉

금박을 입힌 커다란 석가모니상이 대웅전 정중앙에 있고 작은 두 개의 여래상들이 각각 양옆에 놓여 있었다. 그 상들 뒤쪽에는 거대한 탱화들이 배경으로 걸려 있었는데 탱화속의 석가모니불의 가슴에 새겨진 검은색의 만자가 눈에 띄었다. 앞쪽으로는 커다란 청동 향로가 3기가 놓여 있어 여자와 사라는 가운데 향로에 각각 향을 피우고는 3번의 절을 하였다.

〈너희 엄마 정말 한이 많은 여자다. 평생 그 한 다 풀지도 못하고 내려놓고, 내려놓고, 다독이기만 하다가 결국은 이렇게 저세상으로 가셨어.〉

〈한이라뇨?〉

계속해 할 말을 잃고 있었던 사라가 드디어 입을 열었다.

〈니 아빠라는 작자가 니 엄마 버리고 딴 년 얻어 세 장가들고 너랑 생이별을 시켰으니 한이 왜 없겠니?〉

여자는 지금도 분을 못이기는 듯 격하게 말하였다.

〈네?! 생이별요? 그럼 강제로 떼어 놓았다는 말씀이세요?〉

평생을 마음속에 숨기고 분노만 키워왔던 사라였다. 하지만 그녀가 만들어낸 분노는 왜곡된 진실로 인한 것일 수도 있다는 것인가?

〈너희 엄마가 너를 임신한 게 25살 때였어. 너를 임신하고 나서는 어찌된 게 몸이 시름시름 아프고 코피와 하혈을 심하게 해서 병원에 입원을 했었는데, 거기서 니 엄마가 발작이 일어나서는 의사한테 배운 적도 없는 유창한 영어로 소리를 질러대고 했었대. 나도 들은 이야기라 잘 모르겠지만, 담당의사가 얼굴이 완전히 질려서는 이 환자 도저히 못 보겠으니 데려가라고 했단다. 근데 니 아빠라는 작자가 임신을 한 니 엄마를 울 친정엄마한테 데리고 와서는 아무래도 이 사람이 신병이 난 거 같다고 했다는 거지. 그리고 그 인간 그 후로는 니 엄마가 무서워서 가까이 가지를 못하고 딴 년하고 놀아 난거야.〉

〈신병요? 어머니가 신병이었다고요?〉

〈그랬지. 그거 없애려고 니 외할머니가 고생을 많이 하셨지. 사실을 말하자면, 너희 외할머니는 무당이었어. 우리 집안은 원래가 대대로 외할머니들이 모두 무당들이었어.〉

〈무당?!〉

사라에게는 모든 이야기들이 놀람의 연속이었다.

그녀의 분노와 원망의 대상이었던 어머니의 인생은 상상 속에서처럼 행복한 삶이 아니었던 것일까?

〈근데 니 외할머니가 니 엄마 대에서는 그걸 끊어 보려고 니 엄마를 구인사라는 절로 보내셨지. 불쌍한 우리 언니. 너를 임신하고 절에서 만삭이 될 때까지 신기를 누르고 수행공부만 하고 지내다가 산달이 가까이 와서는 그 니 아빠라는 인간을 찾아가 해산을 했는데 니 친할머니라는 인간이 니 쌍둥이자매를 엎어 놓아 죽였버렸잖니! 너 그 사실 알고 있었니?!〉

〈……네에. 알고 있었어요.〉

〈그 썩을 것들! 천 벌을 받을 것들! 그리고는 니 엄마가 너를 낳고 얼마 되지도 않아서는 니 아빠란 작자가 어떤 년을 배를 떡 불려가지고는 데리고 왔잖겠냐! 기가 막히냐 안 막히냐!〉

〈…….〉

〈니 엄마가 말이다 너를 일주일도 젖을 못 물리고는 쫓겨 나왔어!〉

〈재혼하시지 않으셨던가요?〉

사라는 눈물을 보이며 분통을 터트리고 있던 여자의 말을 서둘러서 자르고는 물었다.

〈먼 소리야? 재혼은 무슨 재혼! 기가 막혀서! 그 니 아빠란 작자가 다 지어 낸 거다 뻔히!〉

기가 막히는 것은 사라도 마찬가지였다.

〈그럼, 그 후로 어떻게 사셨어요?〉

〈평생 신기 누르며 절에 다니며 살았지. 너 잘되길 빌고 또 빌고 그리 살다가 갔지.〉

사라의 눈에서 눈물이 흘러 내렸다.

그녀의 상상이 만들어낸 엄마의 행복해하는 미소를 찢어 버리고 싶었었다. 그런데 그녀의 엄마는 그녀처럼 외롭고 슬프고 공포스러운 삶을 살다가 그렇게 쓸쓸히 떠난 것이었다.

그녀는 혼자 고립된 자의 두려움과 불안감을 알기에 너무나도 마음이 아파왔다. 죽을 때까지 그 고통에서 몸부림쳤을 엄마를 사라는 그토록 부셔버리고 싶을 정도로 미워하고 있었던 것이었다. 그렇게 누군가가 곁에 필요했을 외로운 엄마를 그녀가 외면했던 것이었다.

〈사라야! 너 코피 흘리는 거 아니니? 얼른 이걸로 닦아라.〉

이모는 그녀에게 손수건을 건네며, 한풀이하듯 쏟아내느라 미처 자세히 살피지 못했던 조카의 얼굴을 찬찬히 훑어보았다.

〈사라야, 니 얼굴이 왜 이리 상했어? 니가 원래 이리 말랐을 리 없고 눈 밑은 시커매가주고는 다 죽게 생겼구만. 그리고 너 코피 흘리는 게 심상찮어.〉

〈아니에요. 요즘 좀 힘든 일이 있어서 그래요.〉

〈너 설마……. 세상에! 이럼 안 되는데! 너!〉

〈네에?〉

〈너 요즘 이상하지 않았니?! 이유 없이 아프고 정신병자처럼 정신을 못 차리겠고 귀신들린 것처럼 사람들 일이 느껴지고 꿈이 심상찮게 잘 맞고 머 그런 거 말야?〉

왜일까?

이모의 이 물음은 사라 스스로가 설명할 수 없었던 현실과 비현실의 경계에서의 헤메임에 대한 정말 간단 명료한 정리였다.

〈사실은… 좀 설명하기 힘든 일들이 있었어요. 사람들에게 말하면 미쳤다고 할 정도로.〉

〈안되겠다! 무신 수를 써야지. 니 얼굴이 말이 아니야. 이러다가 큰일 나겠다.〉

이모가 그녀를 이끌고 간 곳은 광덕사 주지스님의 거처였다.

〈어서 오십시오. 박 보살님.〉
방안에는 차가 준비되어 있었다. 주지스님은 능숙한 솜씨로 하얀 다기 잔에다가 연녹색의 차를 따랐다. 인자하지만 표정이 없는 듯한 주지스님은 잠시 사라의 얼굴을 한번 쳐다보고는 다시 이모님에게로 말문을 옮겼다.
〈무슨 일이 있으신지요?〉
〈스님, 이 아이가 제 조카인데요. 얘가 신병이 아닌가 싶은데, 한번 보아 주셔요.〉
그 말에 스님은 천천히 사라의 얼굴을 살폈다.
〈조카님은 요 근래 마음을 많이 상한듯한데, 이로 인해 건강을 많이 해치셨습니다.〉
〈네, 그랬습니다. 스님.〉
사라는 지푸라기라도 잡고 싶은 심정으로 말했다.
〈하지만 곧 나아지실 것입니다. 인생사에서 고통이란 수행의 수단입니다. 느껴지는 고통을 바라볼 수 있을 때, 참 자기와 마주하게 됩니다. 제 생각에는 오히려 인생사의 고통은 각성의 중요한 열쇠가 되기도 합니다. 이 사람이 판단하기로는 그 고통의 문을 지나가고 계시지만 곧 그것으로 인해서 그 만큼의 깨달음을 얻을 것입니다.〉
깨달음을 얻은 사람들의 말이란 이렇게 위로가 되는 것일까? 이 고통이 곧 하나의 깨달음을 얻게 되는 열쇠라니.
〈그럼 저는 어떻게 해야 합니까?〉
〈자신의 마음을 들여다보셔야지요. 모든 것은 욕심에서 시작하되 욕심은 근심과 재앙의 근원이 됩니다. 욕심이란 실체가 없는 것이니, 이 실체 없는 것에 인간이 화를 입는 것입니다. 또한 마음역시 실체가 없는 것이니. 마음을 바꾼다면 모든 근심과 재앙이 사라질

따름입니다.〉
〈마음을 바꾸려면 어떻게 해야 합니까?〉
〈마음을 바꾸기란 쉽지가 않지요. 일순간 잠시 마음을 바꾸었다하더라도 또다시 실체 없는 것들에 허망해하고 화를 내게 되어 있습니다. 그래서 매 순간마다 자신을 들여다보는 관찰의 태도로 사셔야합니다. 매시간 매초 어느 곳을 가나 자신의 마음을 살피는 것입니다. 자신의 마음이 실체 없는 것들에 정복당해 조정 당하는지 항상 성찰하는 것이야말로 바로 삶속의 도인 것입니다.〉
삶이란 이토록 힘든 것인가?
매시간 각성하고 깨어 있어야 자신을 지킬 수 있는 것일까?
그래서 삶이 수행일 수밖에 없는 이유일까?
다들 쉽게들 잘 살고 있는 세상이 유독 사라에게는 커다란 짐을 진 것처럼 암담하게만 느껴졌다.
이젠 분노의 대상을 찾는 것도 어려워 졌으니, 그녀는 더 이상 갈 곳이 없었다. 마음속의 초침은 가리킬 곳을 잃었다.

이모와의 만남 후, 서울로 돌아온 사라는 며칠을 멍한 상태로 보내고 있었다.
그녀는 옷장정리를 하듯 그녀 삶 뒤편에 아무렇게나 집어 던져놓았던 옛 기억들을 끄집어내어 아주 먼 과거에서부터 하나하나 필름을 돌려보듯 당시 그 사람의 태도며 감정들이며 느낌이며 그녀가 놓쳤던 모든 장면, 장면들을 스캐닝 하듯 세밀하게 떠올렸다.
그리고는 그 정지된 컷, 컷들에서 그리고 눈빛과 제스처들에서 그녀 혼자만의 감정에 휩싸여 놓쳐 버리고 느끼지 못했던 상대방의 감정들이며 생각들을 읽어내었다.
거기에서 사라는 그녀 자신이 본인의 감정에 휘둘려 얼마나 커다란 생각의 오류와 사실들에 왜곡을 가져왔는지를 찾아냈다. 그것들은 그녀 자신에게는 놀라운 것들이었다.

그녀 자신이 얼마나 자신을 가장하고 살았으며 상대방들의 행동을 자신이 한계지어 놓은 틀 속에 집어넣어 멋대로 규정해버렸던 것에 스스로 경악했다.

그리고는 그 먼 과거의 사건들에서 사실을 바로 보는 균형감각을 얻어 내었다.

그녀는 거의 한 달 내내 걷잡을 새 없이 떠오르는 이런 과거의 잡다한 모든 기억들에서 자신이 그렇다고 믿었던, 믿어 왔던 것들을 정리하여 균형을 맞추었다.

이런 상념들이 왜 떠오르는지 그녀 자신도 몰랐다. 시간이 많아져서 그런 것인지, 아니면 치유의 한 과정인 것인지, 그녀는 모든 것을 그냥 느껴지는 대로 생각이 나면 생각나는 대로 그대로 받아들이고 있었다. 그것은 마치 번역작업을 할 때처럼 최종 오류를 수정해나가는 과정과 비슷하다는 생각을 했다.

한 달이 지나고 두 달이 지나며 그런 생각들이 정리되어가면서 사라의 마음은 안정적이 되어 가고 있었다. 최소한 다시 아파트 빌딩 옥상에 서야겠다는 생각은 사라졌다.

세상을 살아가면서 평생 이렇게 많은 생각들로 시간을 보낸 적이 없었던 것 같았다. 공부와 일에 거의 올인한 삶속에서 쌓아 놓기만 했던 많은 난제들이 제발 정리해달라고 과부하 상태에 있었던 거라고 그녀는 생각했다.

그런 생각들이 정리되어 가면서 그녀는 번역일과 관계된 자료들과 수많은 원서들을 모두 재활용 수거함에 버렸다. 마치 은퇴 선언한 프로선수마냥 몽땅 버렸다. 그것을 정리하여 버리는데도 거의 하루 종일이 꼬박 들었다.

그리고 그녀가 가지고 있던 것들 중에 버릴 것들과 남길 것들을 정리했다. 그중에서 옷은 거의 80%를 버렸다. 마치 그녀 인생의 오점들과 쓰레기 더미들을 정리하듯 그녀는 과감하고도 미련 없이 모두 버렸다.

그렇게 한바탕 집을 뒤집어 놓고 난후, 어느 날 푸른 녹음이 성숙한 색으로 변해가는 10월 저녁 어스름에 문득 그녀는 떠나야겠다는 생각을 했다.

모든 것을 정리하고 마음을 들여다 본 그녀는 더 이상 예전의 일과 생활과 인연들로 돌아가지 않을 것이라는 것을 깨달았다. 한마디로 이제까지 그녀의 인생과는 인연이 다했다는 것을 느꼈다.

이 이후로의 그녀의 인생이란 그녀가 예측할 수는 없지만 전혀 다른 것이며 이전처럼 커리어와 돈과 사랑과 권세를 위한 것은 아닐 거라는 어렴풋한 생각만이 있을 뿐, 사실 구체적인 어떤 것은 아니었다.

사라는 마음이 시키는 대로 짐을 간단히 꾸렸다. 해가 져서 어둑해져오는 도시의 하늘을 뒤로하고 그녀는 무작정 거리로 나왔다.

모든 것이 예전과는 다른 느낌.

더 이상 자신이 예전의 자신이 아니라는 알 수 없는 이질감이지만 사명감과 같은 확고함을 느낄 수 있었다.

무작정 동서울터미널에 도착한 그녀는 잠시 터미널 의자에 앉아 오고가는 수많은 사람들 속에서 멍하니 있었다. 그리고는 천천히 일어나 터미널에 적힌 많은 행선지와 시간표를 바라보았다. 잠시 후에 천안행 표를 샀다.

밤 11시쯤에 도착한 천안버스터미널에서는 모든 버스가 끊겨있었다.

그녀는 거기서부터 걷기 시작했다. 버스로는 1시간 남짓 걸릴 거리인 광덕사가 걸어서는 얼마일지 가늠할 수는 없었지만 도로가 뻗은 대로 발걸음을 옮겼다.

광덕사에 왜 가는지, 가면 무얼 할 것인지 그녀도 무슨 생각을 하고 가는 것은 아니었다. 처음부터 작정하고 떠난 여행길이 아니었으므로 그녀는 뭐든 마음이 가는대로 하자는 결심이었다.

이렇게 살면 되는 것을 그녀는 항상 모든 것을 계획하고 구상하고 마치 설계를 하듯 인생을 살았었다. 그 프레임 속에 자신을 가두고는 그것이 뜻대로 되지 않을 때는 죽을 듯이 절망했었다. 이제와 그녀가 생각을 정리해 보니 그렇게 살 이유는 아무것도 없었다. 그냥 마음가는대로 살아보고 싶었다. 그녀 자신을 그런 프레임에 가두고 억압하고 산 것에 대한 보상이라도 하듯이 그녀는 그녀 자신에게 한없이 너그러워지고 '어디 한번 해봐라' 라며 제3의 인물처럼 행동하고 있었다. 이것이 그녀에게 자유란 이런 것이라는 각성을 가져다주었다.

무얼 그리 인생에서 거창함을 바라고 산 것인지 세상 사람들이 만들어 놓은 성공 모델들이 마치 자신의 것인 양 살았던 것이 어리석게 느껴졌다. 먹이 한 톨을 놓고 수만 마리의 물고기 떼가 모여드는 저 도시를 그녀는 홀가분하게 등졌다. 그로인해 먹이를 얻지는 못했지만 그 덕분에 그녀의 영혼은 자유로웠다.

이젠 무얼 할 것인가?

그녀는 걷고 또 걸었다. 시골인데다 한밤중이라서 차량의 통행도 거의 없었다. 하지만 그녀는 아무것도 개의치 않았다. 그녀는 그녀의 인생에 아무런 통제도 두지 않을 테니까. 닿으면 닿는 대로 걸으면 그 뿐.

시내와 가까운 곳을 벗어나자 도로에서 가로등들이 사라졌다. 도로에 가로등이 사라지니 거의 암흑에 가까웠다. 달도 없는 밤이라서 산골짜기로 들어가는 길은 산짐승이라도 나올 정도로 캄캄하였다. 게다가 인적은 거의 찾아 볼 수 없었다. 그래도 그녀는 두렵지 않았다. 세상에서 가장 두려운 공포심을 만들어 내는 것은 자신임을 경험했기에.

그녀는 걷고 있는 이 길이 그 순간 자신의 삶과 같다고 여겨졌다. 길은 가고 있지만 아무런 불빛이 없는 캄캄한 가로수길.

그 순간 멀리에서 환한 빛이 보였다.

멀리 산 중턱쯤에서 오렌지색의 환한 불이 위쪽에 하나, 좀 아래쪽에 큰 불빛이 하나가 보였다. 너무 컴컴한 길을 가다보니까 멀리 산중턱에서 비치는 그 환한 빛은 마치 그녀가 걷고 있는 길까지 비추는 것 같아 훨씬 수월하게 걸을 수 있었다. 그녀는 그 환한 불빛은 광덕사의 불빛일 것이리라 믿었고 그것을 향해서 나아갔다. 그녀의 인생길위에 아무것도 없는 어둠속에서 그 불빛만이 이정표인양 현란하게 광채를 뿜고 있었다.

그녀가 광덕사 입구에 400년 된 커다란 느티나무가 서 있는 이정표에 다다랐을 때는 새벽 5시가 다 되어 가는 시간이었다. 산새소리에 맞추어 새벽이 밝아 오고 있었다. 그리고 광덕사에서는 아침 예불소리가 들리고 있었다.

사라는 대웅전 마당으로 들어가 우두커니 서서는 잠시 예불 소리를 듣고 있었다. 대웅전 뒤쪽 산에서 주지스님과 두 명의 스님들이 이야기를 나누며 내려오는 것이 보였다. 그러다가 사라를 발견한 것은 주지스님이었다.
〈아니, 박 보살네 조카님 아니십니까?〉
〈네, 스님. 이 사라라고 합니다.〉
〈사라양, 이곳은 웬일이십니까?〉
〈그냥 무작정 왔습니다.〉
〈이 시간에 버스도 없었을 텐데. 차를 운전하고 오셨습니까?〉
〈아니요, 천안시내에서 걸어 왔습니다. 한 5시간 걸리던데요.〉
〈어허 저런 그리 먼 길을 어두웠을 텐데 여자의 몸으로 혼자서 오셨단 말입니까?〉
〈네, 근데 어둡지는 않았습니다. 이곳 광덕사불이 워낙 훤해서요.〉
그녀는 요 근래 들어 처음으로 사람들과 대화하며 미소를 지었던 것 같았다.
〈불빛요? 광덕사는 한밤중에는 모두 소등합니다.〉
〈그럼 그 불빛은 뭐죠? 정말 환해서 멀리서도 길을 훤히 비춰줄 정도였는데……〉
〈허허… 참으로 상서로운 징조일세! 〉
〈스님, 무엇이 말입니까?〉
〈밤새 대웅전에서 150m 쯤 떨어진 산등성이에 있는 부도 탑에서 방광현상이 있었지 무엇이겠습니까. 그 방광의 정도가 이 사람도 놀랄 정도로 너무 밝아 지난밤 부도 탑에서 거의 날을 새었었죠.〉
〈네?! 방광현상요?〉
〈그렇습니다. 부도 탑이 모두 5기인데 모두 방광하여 거의 광덕사 일대가 대낮같았지요.〉
사라는 자신이 본 것이 광덕사의 불빛이 아니라 기이하게도 부도 탑에서 방광현상이 일어난 것이라는 사실에 놀랐다.

〈왜 그런 현상이?〉
〈사리입니다. 이부도 탑들은 통일신라이후의 고승들의 것인데 그 사리들이 방광한 것입니다. 광덕사에서 이런 현상이 있었던 것은 역사서에 따르면 통일신라시대 자장율사가 석가모니의 진신 사리를 들여와 부도 탑에 넣고 세조때 이것이 방광한 기록이 있었는데 그 이후 이번이 처음인 듯합니다.〉
고승들의 다비식에 영험한 일들이 일어난다는 것은 익히 들은 바가 있었지만 사리가 이런 현상을 일으킨다는 것은 그녀로서는 처음 듣는 일이었다.
〈이리 오셨으니, 아침공양을 함께하시지요.〉
스님들의 아침공양은 일반인들과 달랐다. 스님들은 일체의 대화를 하지 않았다. 그러나 매일 반복되는 그 일상적인 일도 자신과의 대화를 하듯 순간에 충실한 식사시간은 난생 처음으로 보았다. 아침공양을 마친 후 사라는 주지스님의 방을 찾아갔다.
〈스님, 출가를 할까합니다.〉
〈머리를 깎고 수행의 길을 들어서는 것도 모두 인연이 있는 법. 오늘 사라양이 광덕사에 이 밤중에 올 수 있었던 것도 인연 아니겠습니까? 6개월 정도 이곳 육화당에서 행자생활을 해 보시고 결정을 하시지요.〉

육화당은 여자승려들의 거처로 몇몇의 비구니와 사미니가 있었다. 행자생활을 6개월 이상 보내고도 사미계에서 사미승이 되는 단계를 거쳐야 비로소 비구니가 된다고 했다. 사라는 이제 막 사미니가 된 한 승려로부터 행자시절 입던 밤색의 법복을 물려받았다.
육화당에서 한 비구니로부터 해야 할 일들에 대해 안내를 받았다. 새벽 5시에 있는 아침공양과 점심, 저녁공양 등을 챙기는 것은 물론이고 육화당의 청소와 법당들의 청소를 해야 했고 행사 등을 위한 연등을 만들고 공양에 필요한 각종 채소들을 가꾸는 일이었다.

사라는 마음을 열어 놓고 모든 것을 받아들이기로 한 탓인지 낯선 곳에 적응을 잘 못할 정도로 까칠하고 예민한 성격이었지만 모든 것이 긍정되게 다가왔고 스며들듯 이곳에 안착하고 있었다.

거처할 방을 안내받으러 이 방 저 방을 둘러보던 중 한 비구니의 방을 구경할 수 있었다. 모든 것을 놓아 버리고 온 사람의 방이라고 할 수 없을 정도로 물건들이 잔뜩 쌓여 있었고 마치 여학생의 기숙사처럼 아기자기 하게 꾸며져 있었다. 한쪽에는 커피며 다양한 차와 각종 다기들이 놓여 있었다.

그렇게 세상 사람들 사는 방식에 신물이 나서 머리 깎고 모든 걸 버리고 산중으로 들어온 사람이 포기 못하는 저 욕심. 인간은 육체를 떠나기 전까지 물욕과의 싸움을 해야 하는 것일까?

저녁예불이후에 여자 승려들은 광덕사내의 안양암에서 수행공부를 하였다. 그날은 사라가 처음으로 수행을 시작하는 날이라서 그런지 주지스님이 직접 안양암으로 내방하셨다.

〈사라양은 오늘부터 이 시간에 108배를 하십시오. 이는 속세로부터의 분노와 슬픔 그리고 공격적인 마음을 버리기 위함입니다. 절을 함에 있어 항상 미소 띤 얼굴로 절을 하고 발바닥이 충분히 꺾일 정도로 절을 합니다. 얼굴뿐만 아니라 마음 역시 감사한 마음을 가지고 해야 합니다. 속도가 너무 빠르면 오히려 공격적인 성향을 만들어 내고 호흡을 부드럽게 하지 않고 거칠게 하면 몸에 병이 깃들게 되니, 평소의 맥박에 10%이상 증가하지 않게 고요한 상태에서 행해야합니다.〉

사라는 그 후 한 달간을 108배에 열중하였다. 우주 만물의 영장이라고 오만에 찼던 한 인간이 그 우주 만물의 앞에 낮은 존재로 임하게 만드는 108배를 그녀는 하면 할수록 속세의 독기가 빠지듯 머릿속이 하얗게 비어 왔다.

한 달이 지나자 주지스님은 그녀에게 명상하는 법을 가르쳐 주셨다.

〈배꼽아래 5cm밑에는 우리 인체에서 아주 중요한 혈자리가 있습니다. 우리 인체의 기의 뿌리라고 할 수 있는 곳입니다. 이곳으로 부드럽게 호흡을 한다고 생각해 보십시오. 호흡은 숨이 차지 않아야 하며 가슴에 답답함을 느끼지 않고 자연스러워야합니다. 마음은 모두 비우셔야합니다. 그러기위해서 사라양에게는 '태양'이라는 화두를 주겠습니다. 모든 생각들을 순수한 마음으로 '태양'에 집중시키기 바랍니다. 모든 번민에서 벗어나서 내 속에 참 빛을 찾을 수 있도록 도와 줄 것입니다.〉

사라는 스님의 설명대로 천천히 호흡을 시작하였다. 눈을 감고 반가부좌를 틀고 두 손을 가지런히 포개서 배 아래쪽에 편안히 놔두고 호흡에 집중하기 시작했다. 정말로 단전으로 호흡하는 것인지, 그냥 그렇다고 생각하는 것인지 구분이 되지 않았다.

하지만 단전의 호흡에만 집중하여 크게 들이마셨다가 내쉬고 다시 들이마시고 내쉬기를 반복하며 호흡을 시작한지 10분정도 지난 시각쯤 사라는 세상에서는 한 번도 들어본 적이 없는 일을 체험하였다.

머리 뒤에서 등 쪽으로 뜨거운 불기운 같은 것이 '쏴!' 두 번 등을 타고 아래로 내려가는 것이 느껴졌다. 그것은 온몸이 움찔할 정도로 강도가 세었다. 그래도 그녀는 마음을 다 잡고 다시 호흡을 가다듬었다.

천천히 호흡에 집중하자, 이번에는 감은 눈은 분명 컴컴해야 하는

데 밝은 빛이 눈앞에 나타났다. 어이없게도 눈은 감은 상태인데도 그것이 너무 눈부셔서 피하고 싶었다. 하지만 그녀는 눈을 뜨거나 포기하지 않고 그것을 계속해서 응시하였다.

갑자기 눈과 눈 사이의 이마부분이 마치 근육이 존재하고 있었던 것처럼 기지개를 펴기 시작했다. 그녀는 그녀의 그런 상태가 이해가 가지 않았다. 그녀는 자신의 이마에서 마치 어깨 근육을 이완할 때나 느낄 수 있는 기분 좋은 팽창감을 느낄 수 있었다. 그것은 정말로 흡사 오랫동안 쓰지 않았던 근육으로 한껏 기지개를 펴는 느낌이었다.

그 후로 기이한 현상이 감은 눈앞에 나타났다.

감은 눈을 눈부시게 했던 빛은 곧이어 녹색의 형광색의 빛을 발했다. 이윽고 이 녹색의 광채도 사라지고 그곳에 검은 색 홀이 나타났다. 그 검은색의 홀 둘레에 보랏빛의 오로라 같은 광채들이 나타나서는 검은색 홀 안으로 사라지고 다시 나타나서 검은색 홀 안으로 빨려 들어가고 반복적으로 보랏빛의 아름다운 광채들이 홀 안으로 들어가 사라지는 것이 보였다.

그때, 그 아름다운 빛을 바라보는 사라는 깨어 있으나 잠자는 듯한 가수면 상태를 느꼈다. 그리고 처음부터 단전으로 호흡했던 사람처럼 자연스럽고도 부드럽게 호흡하고 있었다.

명상의 끝을 알리는 대나무 죽비를 치는 소리가 들렸다.

두 눈을 뜬 사라는 놀랍기만 하였다.

그녀에게 있어 명상 전과 후의 세상은 다른 세상이었다.

도대체 이건 뭐지?

감은 눈에 무엇이 보일 리 없건만 그녀가 본 것과 느낀 것들이다 무엇인지 그녀는 믿을 수가 없었다. 그녀는 현상들에 압도되어 주지스님에게 자신이 경험한 것들이 다 무엇이냐고 여쭈었다.

〈허어……, 단 하루를 수행했는데…… 〉

스님 역시 놀라움을 금치 못하고 있었다.

〈스님 수행을 하면 이런 것들이 보이는 것입니까?〉

〈나타나는 현상들에 너무 현혹되지 마십시오. 그것은 그냥 현상들인 것입니다. 하지만 다른 사람들이 몇 년을 수행해야 얻게 되는 것을 하루에 얻다니 참으로……〉

주지스님도 혼란스러운 듯 말을 잇지 못했다.

〈다른 사람들은 몇 년을 수행해야 얻는 것입니까? 이것이?〉

〈사라양, 사라양은 아즈나차크라를 열은 것입니다.〉

〈아즈나차크라요?〉

〈네, 보통 인당혈의 혈자리를 여는 것을 인도어로는 그렇게 말합니다. 하지만 이 혈자리는 깨달음을 얻고자하는 자는 반드시 열어야 하는 것입니다. 수십 년간 수행을 쌓고 많은 수행자들을 보아왔지만 이 혈자리를 단 한 번의 수행으로 열은 사람은 사라양이 처음입니다. 이 사람도 20세부터 불가에 귀의하여 수행을 해 오고 있지만 그 차크라를 여는데는 10년 가까운 세월이 들었지요.〉

〈어째서 그런 것입니까? 왜 저는 한 번의 수행으로 열린 것입니까?〉

〈글쎄요. 모든 것은 우연히 일어나는 법이 없는 것입니다. 그것에는 무언가 이유가 있을 것입니다. 하지만 보여지는 현상에 너무 집착하지 마시고 차분히 수행을 해 나가세요.〉

그 일이 있은 후 명상호흡을 하게 되면 자연스럽게 인당에 기운이 느껴지고 매번의 명상에서는 보라색 오로라와 검은색 홀이 보였다. 사라는 눈앞에 보이는 세상만이 다라고 여겼었다. 하지만 그녀가 알지 못하는 세상이 자신이 눈을 감은 앞에 펼쳐지고 있었다.

그녀는 자신의 내부에서 발견한 것들로 인해서 말할 수 없는 성스러움을 느꼈다.

시간이 지날수록 기이한 일들이 일어났다.

먼 곳에서 속닥거리는 소리들이 마치 가까이에서 말하는 것처럼 훤히 들리기 시작했고 0.3정도로 시력이 나빠서 밤에는 안경을 껴야지만 사물이 제대로 보였던 그녀인데 시력이 확연히 좋아지고 있었다. 어떤 때는 나무 상자속의 물건이 보일 리가 없지만 마치 눈으로 보듯이 느껴지는 이상한 감각까지 생겨났다.

무엇보다도 신기한 것은 가끔씩 눈앞에 전구처럼 밝은 작은 불빛이 켜지듯 들어 왔다가 무언가 싶어 자세히 보려고 하면 사라지곤 하였다. 그 작은 불빛이 어딜 가든 그녀의 눈앞에 나타났고 이윽고 그녀는 그 작은 불빛이 나타났다, 사라졌다하는 것이 아주 일상적이 되었다.

〈스님 눈앞에 별빛같이 생긴 것이 나타났다, 사라졌다합니다. 그것이 무엇입니까?

〈…… 사라양, 그것은 사라양의 원래 모습입니다.〉

주지스님은 망설이는 듯 하다가 그녀의 눈을 쳐다보며 말했다.

〈원래 모습이요? 저의 본 모습이 그렇게 생겼다는 것입니까?〉

〈네. 우리 모두는 빛의 모습을 가지고 있습니다. 우리 모두는 빛의 자손들이지요.〉

〈빛의 자손? 하지만 전 거울에 비친 그런 모습으로 생겼는데요.〉

〈그것은 현상계에서 만들어낸 환상 같은 것입니다. 거울에 비친 모습과 세상의 삼라만상은 모두 환상입니다. 사라양이 보는 그것이 진실입니다. 그것을 속세에서는 영혼이라고 부르지요.〉

〈그럼 이 빛이 저의 영혼의 모습이란 말인가요?〉

〈네 그렇습니다. 우리 영혼들은 모두 그런 빛의 모습을 하고 있습니다. 사라양, 아무래도 저와 가 볼 데가 있을 것 같습니다.〉

〈어디 말씀입니까?〉

〈아, 광덕사 뒤쪽으로 등산로가 있지요. 오늘은 사라양과 광덕산 정상으로 등산을 갈까합니다.〉

사라는 주지스님의 심중을 알 수 없었지만 잠자코 따랐다. 그다지 가파르지 않은 산행으로 광덕산 정상에 설 수 있었다. 정상에서 바라본 광경은 산들이 겹겹이 둘러싸여 장관을 이루고 있었다.

〈사라양, 여기서 내다보이는 저 산줄기들을 잘 보세요. 산줄기들이 꽃잎처럼 포개져서 마치 연꽃처럼 생기지 않았습니까? 나는 이곳에 올라오면 항상 느끼는 것이 천하의 명당자리라는 것입니다. 연꽃 속에서 세존의 모습이 나타날 듯 영험하고 영화로운 구조입니다. 이 세상은 존재하지 않습니다. 모든 것은 운명이 그려진 하나의 지도와 같은 구조로 이루어진 것이 세상이라고 생각하면 됩니다. 인간영혼들의 상념들로 만들어진 그 지도에서 마치 보물이 표시된 장소 같은 곳이 바로 광덕사를 끼고 있는 곳입니다. 그리고 예로부터 천안의 지세는 성거산의 영험한 기를 받아 도솔땅이라고 불리었지요. 세존은 현세에 오시기전에 도솔천에 머문다고 법문에서는 전하지요. 그러니 이 또한 얼마나 수행을 하기에 적합한 장소이겠습니까? 더불어서 이 땅은 오룡쟁주형의 지세로 고려 때 왕건이 용5마리가 여의주를 놓고 다투는 형세라고 하며 군신도독부를 설치하여 삼국통일의 대업을 이루고 고려를 건국하는데 초석이 된 땅입니다. 그리하여 천안에는 쌍용동, 청룡동, 용곡동, 와룡리, 용정리등 용자가 들어간 지명이 무려 50곳에 이르기도 하지요. 그야말로 이곳은 용이 천년의 수행을 쌓을 장소라 이 말입니다.〉

〈…….〉

〈자, 사라양 이 바위위에 앉으세요. 그리고 항상 하듯이 명상수행을 시작하세요.〉

사라는 의외의 주지의 주문에 당황하였지만 명상수행을 하는 것은 그녀의 일상이 아니던가? 주지의 주문대로 그녀는 바위에 반가부좌를 틀고 이내 명상으로 들어갔다.

하지만 이상했다. 햇빛 탓인지 감은 눈앞에는 검은색 홀과 보라색 오로라가 나타나지 않았다. 그런데 갑자기 기이하게도 눈에 이상한 빛의 선들이 나타나기 시작하였다. 그 빛의 선들은 곡선이었으며 회전하듯이 돌고 있었다. 곧이어 그 빛의 곡선들이 서로서로 겹치며 거대한 원을 그리며 돌았는데 하나의 빛의 꽃을 만들었다.

〈너무나 아름다워요!〉

사라는 자신도 모르게 말했다.

〈눈 감은 채로 그대로 그 빛의 연꽃의 회전을 계속 응시하십시오. 그것은 백회혈의 혈자리를 열은 것입니다. 그것은 신성과 사라양의 자아의 결합을 의미합니다. 이제 눈을 떠도 좋습니다.〉

〈스님! 지금 그것은 무엇입니까?〉

〈그것은 깨달음을 의미합니다.〉

〈네?! 저는 아직 아무것도 깨닫지 못했습니다.〉

〈사라양이 어떻게 받아들일지는 모르겠으나 그리고 이 사람도 그 이유를 잘 모르겠으나 사라양의 영혼은 원래 이미 깨달은 영혼이었습니다.〉

〈설마요. 그럴 리 없어요. 전 전에 명상수행을 한 적이 없는데요.〉

〈사라양이 기억하는 한 그렇겠지요. 이번 생에 태어날 때부터 사라양의 영혼은 이미 해탈을 얻은 영혼이었습니다.〉

〈그렇다면 스님 그 말씀은 제가 전생에 깨달음을 얻은 자라는 말씀이십니까?〉

〈그렇습니다. 처음 사라양이 수행을 시작한 첫날, 인당혈을 여는 것을 보고 바로 알아보았습니다. 그것은 이미 전생에서 경험한 것이기 때문에 영적인 것들은 영적인 접근을 했을 때 바로 반응을 보이는 것입니다. 하지만 알 수 없는 것은 해탈을 얻은 영혼이 왜 다시 환생을 했는가 입니다. 해탈에 경지에 오르고 난후에는 다른 세계의 하늘에 태어나게 되어 있지요. 이미 영적인 단계가 다르기 때문에 말이죠. 오늘 이 사람이 이렇게 하여 본 것은 확인의 차원이었을 뿐입니다. 필시 필연적인 이유가 있을 것입니다.〉

깨달음을 얻은 자!

사라는 그런 주지스님의 말이 믿겨지지 않았다. 깨달음이란 완벽한 자들이 얻는 것이 아닌가? 하지만 그녀는 얼마 전까지만 해도 자신의 정신상태도 추스르기 힘든 불완전한 인간이었다. 인간으로서도 바로 서 있지 못한 자신이 감히 신의 영역을 넘보는 깨달음의 경지에 다다랐다? 그녀는 있을 수 없는 일이라 생각했다. 아니 적어도 아직은 자신이 그런 경지에 다다를 정도의 수행을 한 적이 없었다.

2010년 4월 8일

햇빛이 내리쬐는 산의 정상에서 빛의 아름다운 꽃을 본 후, 눈을 감으면 아무 곳에서나 나타나서 신비스럽게 회전하고 있었다. 하지만 깨달음에 관한한은 그녀 스스로도 받아들이지 못하고 있었다.

행자생활도 거의 6개월이 접어들고 있었다. 초봄의 가랑비가 초연히 내리고 있었다. 아침부터 산새들의 소리도 들리지 않았고 웬일인지 그날은 단 한사람의 그림자도 절을 찾지 않았다. 마치 폭풍전야처럼 절은 기분 나쁘게 고요하였다. 그러더니 오전부터 기계음 같기도 하고 아니면 큰 배수로 관을 통해서 동물이 우는 소리 같기도 한 굉음이 광덕산의 고요함을 깨고 있었다. 듣는 것만으로도 기분을 으스스하게 하는 그 소리는 거의 오전 내내 이어지고 있었다.

〈스님, 이것이 무슨 소리입니까?〉

사라가 묘하게 기분 나쁜 소리에 주지스님께 여쭈었다.

〈……〉

대답 없이 시선을 허공에 포물선을 그리듯 둘러보며 스님 역시 걱정스러운 표정이었다.

〈안 좋은 것입니까?〉

〈오래전 광덕산의 전설에 따르면 나라에 전란이 일어나거나 불길한 징조가 있을 때는 이 광덕산이 울었다고 합니다. 오늘 날짐승들과 하물며 벌레들도 자취를 감춘 것이, 징조가 하 수상합니다.〉

그때, 대웅전 앞뜰을 가로 질러 두 명의 남자가 대웅전으로 다가오고 있었다. 그들은 외국인 근로자들처럼 보였다. 오늘같이 인적이 끊기고 동물들마저 자취를 감춘 날에 그런 이방인이 절을 방문하는 것은 또한 그날의 상서로움 만큼이나 이상한 일이였다.

〈안녕하십니까? 이 절의 주지스님을 좀 뵙고 싶습니다.〉

놀랍게도 그들 중 한명이 유창한 영어를 구사하며 주지스님을 뵙기를 청하였다.

〈이분 이십니다.〉

사라가 영어로 주지스님을 가리켰다. 그러자 그들은 다소곳이 두 손을 모아 합장을 하였다. 주지스님도 그들의 인사를 받아 같이 합장을 하였다.
〈그 분을 만나러 왔습니다. 스님.〉
사라가 통역을 하였다.
〈······〉
주지는 잠시 침묵하였다.
〈그 분이 이곳에 계십니다. 그렇지 않습니까? 스님?〉
〈당신들은 어디에서 오신 누구입니까?〉
주지스님은 그들의 답변을 회피하며 그들의 신분을 물었다.
〈저희는 부탄의 탁상사원의 승려인 앙카와 남게이입니다.〉
통역을 하면서 사라도 놀라고 있었다. 외국인 노동자처럼 보였던 두 사람이 승려일 거라고는 생각지 않았기 때문이었다.
〈이 곳에는 무엇 때문에 오셨습니까?〉
주지스님은 전혀 당황하지 않고 계속해서 질문하였다.
〈저희는 그 분을 찾으러 왔습니다. 이 산의 높은 곳으로부터 그분의 만다라를 읽었습니다. 그 분이 이곳에 계십니다. 우리는 그 분과 함께 계획을 수행할 수행자승려입니다.〉
〈그렇군요. 그 계획이 무엇인지는 모르지만 그 분이 하셔야 할 일인가 보군요.〉
〈네 그렇습니다. 그 분만이 할 수 있는 일입니다.〉
대화가 잠시 중단되고 주지스님이 사라를 쳐다보았다.
〈사라양, 이것이었나 봅니다. 이분들이 당신을 찾아 왔군요.〉
〈네? 저를요? 그럼 그 분이 저라는 말씀입니까?〉
주지스님은 말없이 고개를 끄덕였다.
〈이 분이 그 분이십니다.〉
그 말을 통역하면서 사라의 눈은 그들을 향한 경계를 풀지 않은 채 커다랗게 커져 있었다.

부탄의 승려들은 그녀에게 일제히 합장하였다.

〈왜 저를 찾는 것입니까?〉

〈저희는 운명의 계획에 따라 '사자의 서'의 운반을 맡을 당신을 찾고 있었습니다. 당신이 태어나기도 전에 이미 계획된 일입니다.〉

〈태어나기도 전에? 하지만 제가 아닐 수도 있지 않습니까?〉

〈당신은 최초의 빛의 파동입니다. 당신은 이미 전생에서 해탈을 얻은 고승이었지만 당신이 최초의 빛의 파동이므로 가장 먼저 경계의 벽에 부딪히게 됩니다. 이런 빛의 파동은 벽에 부딪힘과 동시에 다른 파동들에게 자신의 파동을 울릴 수 있는 능력을 최초로 갖게 되는 것입니다. 당신은 이렇게 다른 파동들에게 그 파동을 전달해야할 운명을 지고 태어난 것입니다. 그래서 당신의 열반은 미루어 졌습니다. 이것이 당신이 이번 생을 사는 이유입니다.〉

사라는 그들이 말하는 것을 이해할 수 없었다. 단지 자동적으로 주지스님에게 그 속뜻도 파악이 되지 않은 채 앵무새마냥 통역을 하고 있었다.

〈스님! 저는 이들이 무슨 말을 하는 것인지 도무지 그 뜻을 알지 못하겠습니다.〉

〈사라양, 모든 생명들은 모두 태어난 이유가 있습니다. 들판의 작은 말똥구리도 작은 이름 없는 풀들도 말입니다. 사라양 역시 이번 생을 사는 이유가 있는 것입니다. 사라양은 많은 중생들을 위한 일을 할 운명을 타고 나신 것입니다. 아직도 모르겠습니까? 사라양이 행한 모든 행동들은 계획된 것입니다. 이제야 이 사람이 품었던 의문이 풀리는군요.〉

〈오늘 이 곳에서 들리는 소리를 들으셨습니까? 때가 가까웠다는 신호입니다. 이것은 이제 세계 여러 나라에서 듣게 될 것입니다.

당신은 이제 우리와의 여정에서 우리 모두를 품었던 땅의 어머니의 말을 듣게 될 것입니다.〉

〈어머니? 어머니의 말이라구요?〉

사라에게 아킬라스건과 같은 말, 어머니! 아니던가?

〈그 말을 당신만이 듣고 당신만이 세상에 전할 수 있습니다.〉

〈그 어머니, 어머니의 말을 들으려면 어떻게 해야 합니까?〉

〈저희와 '사자의 서'의 운반의 임무를 수행하셔야 합니다. 그것은 당신에게는 땅의 어머니의 말을 들을 인과 같습니다. 어머니는 오랜 세월 당신을 기다리고 계십니다.〉

〈나를……?〉

〈네, 그렇습니다. 당신의 빛의 파동은 다른 사람의 파동으로 울려 퍼질 것입니다. 어머니의 메시지를 모두에게 울려 퍼지게 하는 것입니다. 당신만이 그 일을 할 수 있습니다.〉

과거로부터의 오랜 세월 사라는 어머니의 말을 듣고 싶어 했다. 그 알 수 없는 이방인의 말이 그녀에게 어떤 의미인지 그들은 깨닫지 못할 것이다. 하지만 그녀는 어머니의 메시지를 듣기위해 그녀의 인생을 살았다는 말이 사실임을 알고 있었다. 그리고 그녀의 운명이 그 어머니와 만나고 그 말을 듣는 것이었다는 것이 한없이 기뻤다.

3. 몰락하는 미네르바

2008년 10월 22일

'뚜우- 뚜우-'

지석은 계속해서 재성의 휴대폰으로 전화를 걸고 있었지만 통화할 수 없다는 메시지만 반복하여 들을 뿐이었다. 그는 재성의 부재를 확인한 이후 벌써 거의 한 시간가량을 이러고 있었다.

시간이 지날수록 지석의 불안감은 불길한 예감으로 빠져 들고 있었다.

잠시 휴대폰을 들여다보고 있다가 갑자기 지석은 자리에서 일어나 휴대폰을 집어 들었다.

〈아무래도 집으로 가봐야겠어.〉

모두들 더덕더덕 붙은 모니터에 얼굴을 박고 일에 열중하고 있는 듯 하나, 이미 불안정한 공기는 사무실 전체를 메우고 있었다. 지난달에도 느꼈었던 사무실내의 흔들리는 이 공기의 느낌을 지석은 똑똑히 기억하고 있었다. 숨 막힐 듯 겁에 질려있는 그런 공기의 과부하 상태가 폭발할 것처럼 팽창된 그런.

지석은 최대한 얼굴에 냉정함을 가장하고 팀원들에게 이것저것 업무지시를 내렸다.

추 재성, 그는 지석과 같은 S대학 경영학과 졸업동기이면서 잊지 못할 최대의 라이벌이기도 했었다. 현재 근무 중인 B증권사에서 주최했던 대학생 모의 주식투자경연대회에서 아슬아슬하게 지석에게 뒤져 2등을 차지하였다. 당시 신화적인 기록인 두 달 만에 수익률 2,850%와 2,500%를 각각 달성하여 둘 다 특채로 선발되면서 입사동기가 되었던 친구였다.

입사 후 4년 동안, 그와 지석은 동료이자 선의의 경쟁자로서 서로의 실력을 인정하였고 현재는 각각 다른 팀의 팀장으로 주식운용을 담당하고 있었다.

그런 좋은 라이벌이자 동료였던 재성과 지석은 일적인 부분에서는 협조자이면서 서로 견제의 대상으로 어쩌면 프로의 세계에서는 궁합이 잘 맞는 게이머들이었을 것이다. 하지만 정작 지석은 재성의 개인적인 어떤 부분도 알지 못했다.

한 번도 가 본적이 없는 재성의 집주소를 내비게이션에 입력했다. 그것도 재성의 이력부분을 회사 인사과에서 알아낸 것이었다.

재성의 주소는 서울대입구에 위치한 오피스텔이었다. 그러고 보니 상도역부근이 집인 자신과 그리 멀지 않은 곳이었다.

내비게이션기계의 안내 말이 거슬려 지석은 볼륨을 줄여 버렸다. 머릿속에 복잡한 실타래가 엉켜있어 다른 것이 끼어드는 게 거북스럽게 느껴졌기 때문이었다.

재성의 오피스텔 건물 지하주차장에 차를 세우고 일단 지석은 오피스텔 관리인에게 사정 이야기를 하고 협조를 구했다. 관리인은 만약 그렇다면 경찰을 대동하는 것이 좋을 것 같다고 말했다. 경찰이라는 말에 지석은 신경이 쓰였지만 상황적으로 그것이 맞는다는 것을 인정하지 않을 수 없었다.

경찰을 부른지 5분도 안되어 인근의 파출소에서 경찰 두 명이 출두하였다. 그 후 5분정도가 더 흘러 관리인이 부른 인근의 열쇠전문가가 도착했다.

빌딩의 11층에 위치한 재성의 오피스텔 문 앞에 다다라서 경찰의 허락에 따라 열쇠전문가가 작업을 시작하였다. 그는 얼마 지나지 않아 드라이버로 번호키열쇠를 간단하게 해체했다.

문을 열고 오피스텔로 들어간 순간 술 냄새가 코를 자극했다. 커튼이 쳐진 어둑한 오피스텔에 어렴풋이 소주병이 나뒹굴고 있는 것이 보였다.

방에 불을 켜고 이리 저리 살펴도 재성의 모습이 보이지 않자 욕실 문을 열어 보았으나 거기에도 아무도 없었다.

〈추 재성!〉

지석은 자신도 모르게 재성을 불렀다. 그리고……

경찰이 오피스텔의 베란다로 나가기 위해 어두운 색의 커튼을 열어 젖혔을 때, 창 너머로 재성이 있었다.

지석은 심장이 쿵하고 내려앉은 것 같은 소리를 들었는데 이상하게도 이런 극한 상황에서 더욱 차가와 지는 심장이었다.

지석은 침착하게 경찰과 함께 베란다로 나 있는 미닫이 유리창문을 열었다.

재성은 베란다 윗벽에 붙어 있는 빨래걸이에다가 컴퓨터를 연결하는 전선을 감아 목을 맸다.

마치 밀랍인형처럼 창백한 재성의 얼굴에서 혀가 가슴까지 길게 늘어져 있었고 얼굴은 몸의 늘어지는 무게 때문에 잔뜩 당겨져 입도, 눈도 거의 반을 뜬 상태였다.

베란다 바닥에는 재성의 신체에서 쏟아 낸듯한 오물들이 흘러내려 있었고 코를 막아야 될 정도의 냄새를 풍겨내고 있었다.

일단 경찰은 맥박을 재서 재성의 사망상태를 확인하고 오피스텔 내부와 상황증거를 사진기에 담고는 의료팀을 호출했다.

의료팀이 최종 사망을 확인하고 시신을 수습할 동안 경찰은 참고인 자격으로 일정날짜에 경찰로 출두할 것과 이것저것 정황 등을 질문하였다.
〈시신은 어떻게 되는 겁니까?〉
〈아, 아마도 부검이 이루어 질 겁니다. 사망의 최종 원인이 규명되면 그때에 가족에게 인계될 겁니다.〉

10년 같은 하루였다.
모든 처리가 끝난 후 지석은 회사에 전화를 걸었다.
〈언론에는 일절 어떤 정보도 세어 나가지 않게 하게.〉
지석이 차장으로부터 들은 말은 이것이 전부였다.
차장은 한 달 전의 자살사건에도 이렇게 반응했을까?
지석은 언젠가부터 재성이 편법을 쓰고 있다는 정보를 입수했었다. 한번은 슬쩍 빗대어서 편법은 리스크(위험)부담이 크다는 식의 경종을 울린 적도 있었다.
하지만 이미 주식시장의 폭락은 벌어졌고 정상적인 모든 투자도 극심한 손해를 보는 이때에 재성이 쳐놓은 편법의 덫은 연결된 모든 관련자를 몰락의 구덩이로 몰고 갔다.
재성이 할 수 있는 일이란……, 어리석게도 죽음으로 책임을 진 것일까? 아니면 도피한 것일까?

다음날, 리먼 브라더스 사태로 연일 시끄럽게 떠들어대던 언론은 재성의 자살소식을 전하며 표면적으로는 결혼을 앞둔 애인과의 불화로 몰고 가는 분위기였지만 조용히 리먼 브라더스의 여파일지 모른다고 점치기도 했다.
모든 증권사들이 주식시장에 찾아온 악재로 폭락에 폭락을 거듭하며 매일 벌어지는 투자의 손실에 공황상태에 빠져있는 상태였다. 모든 증권사들이 그러하듯 지석의 자산운용팀도 그동안의 활약이 무색해질 끝없는 늪에 빠져 있었다.

증권사에서 일하는 직업이란 자신의 삶이 없다. 주식의 상향과 하향곡선에 자신의 인생도 따라가는 묘한 직업인 것이다. 그걸 과연 다른 평범한 직업을 가진 사람들이 이해할 수 있을까. 그야말로 목숨을 걸어야하는 전쟁터의 전사처럼 하향곡선의 계곡은 죽음의 계곡인 것이다.

사건이후 지석은 지독한 불면증으로 잠을 이룰 수가 없었다. 주식의 곡선에 목숨 줄을 달고 사는 자신 역시 재성과 다른 운명을 살거라고 장담할 수는 없었다. 지석은 재성이 목을 맨 그 모습에서 자신의 모습을 오버랩 시키고는 화들짝 놀라며 경끼 비슷한 증상을 보이고 있었다. 그리고는 애써 고개를 흔들어 그런 망상들을 지워 버리려했다.

〈팀장님! 팀장님! 정신 차리시고 제발 머리를 흔들지 마세요!〉

이지스였다.

정신을 차려보니 사무실에 이지스가 지석의 어깨를 잡고 흔들고 있었다. 사무실 직원들의 눈이 모두 지석을 향해 있었다.

〈이지스, 뭔가?〉

지석은 이지스가 자신을 왜 붙잡고 있는지 오히려 의아하다는 듯이 쳐다보며 말했다.

〈팀장님 모르세요?! 계속해서 머리를 흔드시고 계시잖아요!〉

〈내··· 내가······?〉

〈아무래도 안 되겠어요. 병원에 가 보셔야겠어요!〉

이지스의 얼굴이 잔뜩 일그러져 있었다.

〈아냐··· 나 그런 적 없어·······.〉

〈이걸 좀 보시라구요! 제가 휴대폰으로 동영상을 찍었다구요!〉

이지스가 내민 동영상에 나온 사람은 분명 지석이었다. 그런데 계속해서 머리를 흔들며 말하는 이상행동을 보이고 있었다. 놀랍게도 지석, 본인은 전혀 그것을 모르고 있었다는 것이었다.

지석은 경악했다.

차장이 지석을 부르더니 조용히 명함을 하나 내밀었다.

〈내가 아는 유명한 정신과 닥터라네. 자네 팀은 잠시 이지스에게 맡기고 한 달 정도 쉬게. 다행히 이지스가 잘 하고 있으니 당분간은 그러는 게 좋겠어.〉

막대한 손해가 나버린 자산운용을 맘대로 사표 낼 수도 없는 상황이라는 것을 지석도 알고 있었지만 더 이상 일을 할 수 없을 만큼 정신적으로 지쳐 있다는 것을 부정할 수 없었다.

한때는 돈을 자신의 장난감이라고 생각한 적도 있었다. 돌덩이들을 가지고 마술을 부려 황금을 만들어 내는 연금술사라도 된 듯이 지석은 나름 마술 같은 재주로 돈을 만들어내서 사람들을 행복하게 해주고 있다고 생각했었다.

하지만 언제부터인가 그는 상따주식(상한가주식)과 붉은 화살표와 그것들이 상징하는 배수들에 중독되어 갔다. 어느덧 돈을 가지고 노는 마술은 끊을 수 없는 마약이 되어 있었다.

그리고, 의지로 헤어 나올 수 없는 그 돈의 올가미에 재성이 당했다. 이젠 돈이란 놈은 지석에게는 강한 트라우마가 되어 있었다. 다음번엔 자신의 목을 눌러와 죽음의 줄에 밀어 넣을게 분명했다.

휴직계를 낸 뒤 지석은 일절 바깥출입 없이 우두커니 방바닥에 앉아 있기만 했다. 무엇을 할지, 무엇을 할 수 있을지 딱히 뚜렷한 의지가 없는 멍한 상태였다.

며칠째 의식이 없는 혼수상태의 환자처럼 불투명한 시간을 흘려 보내고만 있다가는, 문득 영감이 떠오른 예술가처럼 책꽂이에서 책 한권을 꺼내어 미친 듯이 그 속을 뒤지기 시작했다.

그 책속에서는 엽서 한 장이 나왔다.

'지혜가 필요한 자, 오대산으로 와라!'

낯익은 필체의 그 엽서는 1년 전 부엉이 선배로부터 온 것이었다. 지석은 마지막 선택의 기로에 서 있었다.

전선줄에 목을 매느냐.

지혜를 구할 것이냐.

첩첩산중의 오대산에 산다는 부엉이 선배의 거처는 심지어 주소까지 정확히 쓰여 있었다.

〈오대산에 가야겠어.〉

한참을 엽서를 들여다보던 그가 나지막하게 중얼거렸다.

서울서부터 고속도로를 달린 지석의 자가용은 상원사입구 주차장으로 들어서고 있었다. 주소지의 입지가 분명치 않아 거기서부터 수소문하여 산 너머 중턱쯤으로 위치를 가늠한 지석은 선택의 여지없이 산행을 해야만 했다.

워낙 깊은 산중인 오대산은 처음이었던 지석은 등산로 입구에 붙어 있는 커다란 등산안내도를 보고는 한숨을 내 쉬며 먼 길 온 것을 후회하고 있었다. 하지만 산의 입구는 마치 현실과 비현실의 경계마냥 그에게 돈과 숫자와 그래프들로부터 탈출할 출입구라고 써 붙인 듯 의기양양하게 손을 내밀고 있었다.

등산을 시작한 이후, 눈에 들어오는 것들은 회백색의 도시와는 차원이 다른 세계처럼 지석에게는 낯설고 이국적이게 느껴졌고 그곳에 서 있는 자신은 이계의 존재처럼 이질적이어서 뭔가 거북스럽고 어울리지 않았다.

어른 3명이 팔을 둘러야 잴 수 있을 정도의 거대한 전나무들이 이곳에는 어쩐 일이냐는 듯이 그를 응시하고 있었다. 어제 비가 내린 탓인지, 가을이 깊어가는 지금도 푸름을 먹은 전나무들은 생기가 넘쳐났다.

또 한 쪽에서는 수백 살은 먹은 듯 한 전나무가 고령의 나이를 못 이기고 넘어가 있었다. 속을 훤히 비워내고 너무도 자연스럽게 누운 전나무의 죽음마저도 이 세계에서는 조화로웠다.

삶과 죽음이 균형을 이루어 어느 것도 불협화음이 없는 이 세계를 인간들이 자연이라고 부르는가 보다. 인간 세계의 고통으로 일그러진 죽음과 죽음과도 같은 살아있음이 본래의 자연스러움을 잊어버린 건 무엇 때문인 건지……

죽음도 삶도 조화를 잃어버린 고통에 길들어진 인간들은 자신들이 만든 것들이 진짜 세상이라고 우기며 고통이, 고통이 아니라고 거짓을 말하며 살고 있었다. 지석은 벗어나면 바로 발견하게 될 이런 언어로 표현하지 못할 진실들이 깨달음처럼 물밀듯이 밀려옴을 가슴 벅차게 느끼고 있었다.

지석은 인간의 마음이 지옥의 바닥으로 떨어질 수 있다는 것을 경험하고 난 이후, 깨어난 시선으로 예전에는 보지 못했던 것들을 보고 있었다.

얼마가지 않아 산행이 힘에 부쳐 잠시 쉬어가려고 숨을 헐떡이며 숲 길가에 마련된 벤치에 앉았다. 가을로 접어들면서 등산객들이 꽤 북적이는 편이었다. 그런데 산을 따라 잘 닦인 큰길이아니라, 숲속의 나무사이로 한 무리의 사람들이 걸어가는 모습을 발견할 수 있었다. 그중에는 외국인 남녀도 네댓 명 섞여 있었다. 저마다 오렌지 빛의 옷을 입은 20명 남짓의 그들은 인기척도 없이 조용히 고개를 숙인 채 맨발로 걷기만 하였다.

그냥 보아 넘길 수도 있을 일이었지만 웬일인지 강하게 그의 호기심을 자극하여 등산로 산행중인 한 사내에게 물었다.

〈저 사람들은 뭐하는 사람들입니까?〉

〈아, 저 사람들요? 상원사 말고 저기 월정사에서 템플스테이로 일일 수행하는 사람들인데요, 모두 산행을 하면서 묵언수행중인가 봅니다.〉

머리에 챙이 둥근 빨간색 등산모를 쓴 사람 좋아 보이는 50대 사내가 말했다.

절에서 그런 프로그램도 한다는 건가?

머리를 깎고 아예 수행자가 되는 것이 아니라 하루 수행체험을 한다고?

아무도 말을 하지 않고 조용히, 마치 자연의 일부분인 것처럼 걷고 있는 모습에 지석은 또 한 번 강하게 자극을 받았다.

인간 역시 자연의 일부분인 것을……

이 당연한 진리를 그는 외면하고 살고 있었던 게다.

상원사에서 적멸보궁으로 오르는 계단의 석등에서 들리는 독경소리는 지석에게 있어, 인간세상의 모든 것은 부질없으니 모두 버리라는 충고였다.

비로봉정상에 다다를 쯤 안개가 끼기 시작했다. 안개에 휩싸이기 시작한 고즈넉한 산새가 정상에서 여실히 그 풍광을 드러냈는데 그 아름다움도 이루 말할 수 없는 것이지만 그저 옅음과 짙음으로 자신을 드러낼 뿐 더할 것도 없고 뺄 것도 없이 그저 거기에 존재하고 있는 산의 모습에, 사람이 아니라 늘 한곳에 우뚝 솟아 있는 산이라는 존재가 인간의 멘토가 될 수 있음을 지석은 받아들였다.

이렇듯 단순한 존재의 모습에 그는 한편으로는 감동하였고 한편으로는 그렇게 현실을 부여잡고 색깔 나누기에 여념 없었던 자신이 얼마나 어리석은가를 깨달았다.

자괴감과 경이로움에 마음이 걷잡을 새 없이 변화를 거듭하고 있을 때, 비로봉정상에서 땀을 식히는 일행들과 커피를 나눠 마시던 빨간 등산모의 그 중년사내가 지석을 발견하였다. 그는 보온병속의 아직도 김이 올라오는 따뜻한 커피를 종이컵에 따라 들고 와서는 지석에게 건넸다.

〈아이고 어려운 산행인데 혼자 오셨나 보군요. 부럽습니다. 혼자 하는 산행은 이런 저런 생각을 할 수 있어 좋지요.〉

사내로부터 커피를 받아 들은 지석은 감사의 표시를 한 후 그저 쓴 미소를 지었다.

〈산행에 이 커피랑, 이 시원한 바람이랑, 하산하고 막걸리 한잔을 하면 세상의 자유로움을 다 얻은 것 아니겠어요? 하핫!〉

그 사내가 마치 모든 사람이 다 알고 있는 사실이라는 듯, 동의를 구하며 던진 말에 지석은 내심 마음이 불편하였다.

여태껏 살면서 자신은 커피 한잔에, 불어오는 바람에, 막걸리 한잔에 자유를 느껴 본적이 있었던가 반문해보고는 이렇게 작은 것들에 자유를 얻는 그 사내가 행복해 보였다.

그의 말에 맞장구를 치지 않자, 눈치 빠른 사내는 이내 대화의 방향을 틀었다.

〈산행이 마음을 비우는 데는 최고지요.〉

〈아··· 예.〉

이번에는 지석이 동감의 의사를 표하였다.

시각이 저녁으로 흐르고 산이라는 특수한 환경은 평지보다 일찍 어둠이 밀려오고 있었다. 11월의 산이라 해가 지자 급격히 기온이 떨어졌다. 늦은 시간의 산행에서, 대개의 사람들은 비로봉을 내려와 상왕봉과 두로령을 지나서 하산하는 쪽을 택하였으나 지석은 부엉이 선배가 살고 있는 두로봉 쪽으로 향했다.

산행을 하는 이들이 모두 사라지고는, 누구에게 물어 볼 수도 없는 상태였다. 들고 온 간이지도를 손전등으로 비추어 가며 뚫어져라 찾아보았지만 자세하고 세밀한 표시가 없었다.

그는 잠시 산속 길을 잘못 들어 헤매다가 순간적으로 패닉상태가 되었다. 그러나 문득, 그가 이제 마음을 둘 곳이 세상 그 어느 곳에도 없다는 것을 떠올렸다. 그리고는 도시에서는 상상할 수 없을 정도로 단 한 점의 불빛도 없이 칠흑의 어둠이 내리고 있는 그 미지의 암흑 산속에 자신을 던져 버렸다.

그렇게 반은 포기하듯 산속의 풀숲을 헤매고 있을 때 불빛이 하나가 보였다. 그는 기쁜 나머지 수풀을 헤치는 속도가 빨라졌다. 드디어 작은 오솔길을 발견하면서 애초에 길이 있었던 흐름을 되짚어 보고는 한편으로는 길을 찾은 안도감에, 한편으로는 처음부터 있었던 길을 찾지 못한 본인에게 화를 내며 불빛이 새어 나오는 작은 통나무 오두막을 향해 빠른 걸음을 재촉했다.

숲속에 자리한 오두막 주변에는 배추와 무 같은 야채들이 재배된 흔적이 있었다. 뿐만 아니라 위성방송과 인터넷을 연결하는 접시가

떡하니 지붕위에 자리하고 있지 않은가.
도대체 그는 여기서 무얼 하고 있는 것일까?

부엉이 선배.

학부시절 그는 전설적인 인물이었다. 입학하면서부터 전교 수석으로 이름을 날리더니 그 해에 아이큐 180의 멘사회원으로 등극되며 화제를 몰고 다녔다. 그러나 그가 더 유명했던 건 그의 행색 때문이었다. 그는 대학 입학 후 내내 머리와 수염을 길렀고 흰 고무신을 즐겨 신는가 하면 한 달이든 두 달이든 마음 내킬 때 씻고 다녀 정말 야생인간이 따로 없어 여학생들 사이에서는 야수라는 별명으로 통했다.
하지만 그런 야수의 주변에는 항상 미녀들이 득실거려 학부의 남자후배들에게는 거의 선망의 대상이었는데 그의 유머감각과 매력은 외모나 냄새 따위와는 상관없이 모든 여자들을 언제나 깔깔거리게 만들었던 것이었다. 사실 그 비결이 무엇인지는 논문을 내야할 정도로 연구감이었다.
한 해 후배로 선후배미팅에서 처음 부엉이 선배를 만나고는 항상 순종적으로 엄친아의 길의 걷던 지석에게는 적잖은 충격이면서 신선한 자극이었다.
같은 과 선배이면서 같은 멘사의 회원으로 부엉이 선배는 지석에게 각별한 선배가 되어주었고 그 이듬해 이지스의 등장으로 그들 세 명은 같은 과내에서도 인정할 정도로 뭉쳐 다니는 소위 영재패거리가 되었었다.
모두 외아들이었던 그들 셋은 군대를 갈 때에도 마치 친 형제들처럼 든든한 기둥과도 같은 존재들이 되어 주었다.

부엉이 선배가 군대 갈 때는 학교전체가 들썩거릴 정도였다.

'그 긴 머리와 수염을 드디어 자르다.'

학교신문 한 귀퉁이에 날 정도로 그들은 유명 인사였고 제대 후에도 모두 다시 대학에 뭉쳤을 때는 학교뿐만 아니라 세상이 다 자신들의 것인 양 이슈를 뿌리고 다녔다.

그리고 지석이 대학 4년이 되던 해 그들 셋은 입사권과 상금 1억이 걸린 B증권회사의 대학생 모의 주식투자경연대회에 참가하였다.

처음에는 이름도 없이 그저 일등이라는 목적을 위해 만들어진 포트폴리오 팀이었지만 자연스럽게 후배들에 의해 팀명이 '미네르바의 부활'이라고 지어졌다.

당시에 메인 투자전략은 지석이 세우고 이지스는 정치적, 사회적 동향의 조사를 맡고 부엉이 선배는 환경적, 자연적 동향의 조사를 맡았는데, 각 분야에 맞는 주식종목 분석이 탁월하고 전문가들보다 날카롭다는 평을 받을 정도로 그들 셋의 포트폴리오 팀은 그 후에 전설로 남아 두고두고 세간의 입에 오르내리며 거의 신의 경지에 이른 투자로 한때 많은 이들의 주식투자모델이 되었었다.

그것을 보고 후배들은 미네르바의 부활을 보는 것 같다고 감탄해 마지않았고 각각 이지스, 미네르바, 부엉이라는 별명을 붙여 주었다.

지혜의 여신 미네르바!

신들의 신인 제우스에 대적할 신으로 예언되어 제우스가 자신의 딸임에도 불구하고 삼켜 버려 없애려 했던 여신이다. 이후 제우스의 머리를 가르고 구출된 그 미네르바는 모든 신들 간의 전쟁에서 지혜로서 승리를 얻어 낸다.

지혜란 신이 두려워할 정도의 힘을 가진 것이다.
인간들은 이윽고 이 지혜 덕분에 정말로 신을 능가하려 하고 있지 않은가?

미네르바의 신물인 방패 이지스!
메두사를 죽여 그 머리를 방패에 안착시켜 방패를 보는 자들은 모두 돌이 되었다. 벼락에도 부서지지 않는 무적의 방패일 뿐 아니라 적의 공격의 정체와 통찰력을 겸비하고 날씨를 제어할 수 있는 능력까지 가진 과연 지혜의 여신의 방패라고 할 수 있다.
짙은 어둠에도 여신의 길을 밝혀 전진의 장을 마련하는 그 신물 방패! 마치 그 신물과도 같은 역할 때문에 후배들은 이지스를 그때부터 그렇게 부르기 시작했다.

미네르바의 지혜의 눈인 부엉이!
여신인 미네르바가 볼 수 없는 어두운 밤을 밝혀 환히 꿰뚫는 지혜를 주며 또한 360도로 회전할 수 있는 목은 어떤 것도 놓치지 않는 날카로운 지혜의 눈을 선사하는 없어서는 안 될 성스로운 새! 후배들에게는, 매섭게 남들이 볼 수 없는 것들을 날카로운 통찰력으로 꿰뚫어, 항상 숭배의 대상이던 부엉이 선배를 그때부터 그렇게 부르기 시작했던 것이다.
그 막강한 성물과 성조를 가진 지혜의 여신 미네르바인 지석은 결국 모의주식투자의 신화를 쓰며 당당히 상을 거머쥐었었다.
그 후 부엉이 선배는 홀연히 그들의 곁을 떠났다. 일류 증권회사에 특채로 화려하게 입사할 수 있는 기회도, 억을 왔다 갔다 하는 연봉도 다 마다하고 그는 스스로 야인의 삶을 살겠노라고 하였다.
모든 이들의 만류에도 불구하고 세상에는 자신이 찾는 답이 없다고 말하며 이 세상은 돈을 위한 지혜만 난무하고 결국 죽을 때까지 돈의 노예로 사는 것이 무슨 큰 지혜냐고 모두들 병신들이라고 떠들어 대며 진실 된 지혜를 찾게 되면 그때 다시 나타날 것을 약속하였다. 그리고 어떤 이의 간섭도 거부한 채 사라져 버렸다.

그것이 4년 전의 일이었다.

부정하고 싶었지만 부엉이 선배가 마지막 남기고 떠난 그 말은 예언이 되었다.

1년 전 그로부터 받은 엽서는, 현실을 살아가는 지석에게는, 피터팬의 동화속이야기처럼 전혀 어떤 감흥도 주지 못했다. 그냥 '허헛!' 너털웃음으로 '형은 철이 한참 더 들어야겠어.' 그렇게 엽서는 그가 읽고 있던 경제관련 책속으로 던져졌다.

이제 와서 지석이 그 동화 같은 그의 삶이 궁금해진 것이다.

과연 부엉이 선배는 진실한 지혜를 얻었을까?

작은 오두막의 대문에 다다르자, 쇠로된 둥근모양의 커다란 문고리를 잡고 문을 두드렸다.

'텅! 텅!'

〈·······.〉

〈벌써 자나······?〉

인기척이 느껴지지 않자 초조하게 지석은 웅얼거렸다.

어둠속 어렴풋이 비치는 달빛에 오두막 벽 쪽으로 잔뜩 쌓아올린 땔감 나무들이 눈에 들어 왔다.

〈누구냐?!〉

그 때,

깜짝 놀랄 정도로 안에서 크고 짜증스럽게 외치는 목소리는 실로 4년 만에 듣는 의형제인 부엉이 선배의 목소리였다.

〈나야……, 형.〉

작은 오두막이 울릴 정도로 성큼성큼 요란하게 문으로 걸어오는 발소리가 밖에서도 정확하게 들렸다.

대문이 열리고 모습을 드러낸 부엉이선배는 예전과는 달리 머리를 스님처럼 완전히 삭발한 민둥머리에다가 수염도 다 밀어버려, 처음에는 잘못 찾아온 게 아닐까 생각할 정도로 달라진 외모였다. 그러나 여전히 빼빼마르고 검은 뿔테 안경너머로 유머가 넘치는 눈웃음은 틀림없는 그였다.

〈미네르바!〉

그는 4년 만에 만난 지석을 이름이 아닌 애칭으로 불렀다. 그들이 서로를 이 애칭으로 부르는 것은 서로에 대한 신뢰와 존경을 의미했다.

〈부엉이 형!〉

알 수 없었다. 지석은 눈물이 왈칵 나왔다. 고구마를 먹은 것도 아닌데 목구멍에 무엇인가 맺혀 목이 메어왔다.

〈왜 우냐?! 임마! 잘 왔어!〉

부엉이선배는 자신보다 20cm는 더 큰 지석을 와락 껴안았다.

〈이 눔 키가 또 더 컸넹.〉

그의 유머는 여전했다. 지석은 울다말다 웃음이 터져버렸다.

〈하핫! 이제 형 같네. 나는 머리를 빡빡 밀어 버려서 부엉이네 집이 아니라 까치집에 잘못 온 줄 알았지.〉

둘은 서로의 유머에 박장대소를 하며 마치 예전에 이름 휘날리며 동에 번쩍 서에 번쩍하던 대학시절로 돌아간 듯 기분이 좋아졌다.

〈귀찮아서 길렀었는데 오히려 이렇게 미는 게 씻을 때 간편해서 훨씬 덜 귀찮다는 걸 깨달았지. 어때? 나, 하산해도 되겠지?〉

집안 내부도 나무로 지어진 말 그대로 통나무집이었다. 집안에 보이는 탁자며 의자모두 투박하게 만들어진 것이 직접 제작한 티가 역력했다. 벽 쪽으로는 소나무로 짠, 역시나 투박한 책장에 빼곡히 책들이 3단으로 정리되어 있었다. 구석에는 작은 나무침대가 소박하니 놓여 있었다.

나름 혼자살기에 안락하게 꾸며져 있었고 오렌지색의 길쭉한 스탠드가 서 있는 한 쪽 벽에는 사진들이 여러 장 붙어 있었는데 그 중에서 한참 전성기를 구가하던 그들 셋의 모습이 많은 부분을 차지하고 있었다.

또 한 쪽에서는 낭만적이고 자유로운 야인의 삶답게 흙으로 발라 만든 벽난로가 '탁! 탁!' 소리를 내며 따뜻하게 타고 있었다.

그런 목가적인 집안 풍경의 탁자위에 생뚱맞게도 노트북PC가 놓여 있었다.

〈오우! 나름 아주 좋은데! 근데 야인이 웬 컴퓨터야?〉

〈정보를 얻는 데는 이게 최고야, 책보다도. 이건 나에겐 정말 윈도우(창문)인거지. 세상과 담을 쌓고 살고 있는데 세상을 연구하려니 이게 필요하더라구.〉

〈그래서? 만족할 만한 연구 성과는 있었어?〉

〈글쎄…… 전부를 얻은 것은 아니지만 그 실마리라고나 할까?〉

〈그래? 근데 그렇게 이 첩첩산중에서 연구만 하는 사람이 문 두드리는 소리에 왜 그리 날카로와?〉

〈아……, 그거? 가끔 찾아오는 것들이 있어서……〉

부엉이 선배는 말꼬리를 흐리며 말했다.

〈누가?〉

〈그런 게 있어.〉

역시 분명한 대답을 않는다.

〈그보다도, 추 재성 소식 들었다.〉

〈……!〉

'쿵!!'

재성의 시체를 발견할 때처럼 가슴이 내려앉는 소리가 들렸다.

〈어? 너, 왜 그래?! 얼굴이 갑자기 창백해지고?〉

〈…….〉

지석은 갑자기 어지러워 의자를 잡고 앉았다. 잊고 있던 깊은 상처를 건드린 것처럼 지석은 불안감과 공포감이 다시 엄습함을 느꼈다.

〈미네르바?! 너, 왜 그러니?! 잠깐 물 한잔 마시고 형한테 말해봐. 너 지금 정상이 아니구나!〉

부엉이 선배는 재빨리 부엌 쪽으로 달려가서 나무로 깍은 컵에다가 물을 부어왔다.

〈휴우~ 이렇게 들이마셨다 내쉬었다. 심호흡을 해봐.〉

물은 먹히질 않을 것 같아 지석은 부엉이 선배의 조언에 따라 심호흡을 여러 번 반복했다. 그때 마다 선배는 심호흡을 같이 구령 맞춰서 해주었다.

그제야 안정을 찾은 지석은 물을 한 모금 들이켰다. 그리고는 그동안 벌어졌던 추 재성의 자살사건과 관련된 그의 인생폭락지점에 관한 이야기를 시작했다.

부엉이 선배는 진지하고 차분하게 그의 이야기를 끝까지 들어 주었다.

〈그랬었군……, 마음이 많이 다치고 상처투성이겠구나……. 그런데 말야, 이 문제에 대한 해결방법은 의외로 간단할 것 같은데?〉

〈그래? 그 해결방법이 뭔데?〉

부엉이 선배는 정말로 지혜를 얻은 것일까?

〈이 썩을 놈의 성과주의 사회가 요구하는 병적인 '자아착취'를 집어치워! 사람들이 그러고 도시에 바글거리고 사는 진짜 모습을 본인들은 알고 있으려나? 정말 자학적이거든. 자신의 영혼은 끊임없이 착취당해 지쳐 있는 데도 자신들이 죽음을 맞이할 것이라는 그 근본적인 사색적 삶도 로봇들처럼 포기하고 살고 있잖아?〉

지석은 부엉이 선배의 독설의 칼에 정신이 퍼뜩 들면서 머리가 띵했다.

〈그리고……, 어떤 면에서는 축하할 일인데?〉

그의 말에 지석은 잘못들은 건지 의아했다.

〈뭐라고?!〉

〈축하한다고. 너의 영혼이 너의 마음을 알아차렸다는 것에.〉

〈마음을 알아차려?〉

〈응. 대개의 사람들은 유감스럽게도 이렇게 자신들의 마음을 의식하게 되는 것이, 마음이 깊이 상처가 베이고 난 이후라는 거야. 세상 사람들은 말이야, 머리로 마음과 영혼을 인식하지. 그건, 바로 유기적이고 물리적인 세상이 전부라고 믿는 프로그래밍 때문이야. 이것은 내가 연구한 바에 따르면, 생득적으로 그렇게 태어난 것이 아니라 태어난 이후에 인간이 그렇게 공간성을 지각함으로써 그 범주 안에서 벗어나지 않게 제한적으로 자신의 인생을 프로그래밍 한다는 거야. 그래서 만약에 지각이 그 이상으로 벗어나게 되면 공황상태나 절망감 내지 정신질환의 문제가 발생하지. 사실, 그것은 본인 스스로 만들어 놓은 제한적 프로그래밍인데 말이야.〉

〈제한적 프로그래밍?〉

〈응. 그건 무엇인가에 의해서 그렇게 되도록 의도가 된 것인지도 모르겠어. 사실 인간은 공간적 제약을 벗어나 시간적 세계와 영적인 세계 모두를 인지할 수 있는 능력이 있지. 그렇지 않고서는 물리적으로 증명할 수 없는 일들이 일어나는 사례들을 설명할 수 없지 않겠어? 그런데 이런 능력은 반드시 자신이 프로그래밍한 그 제한적 공간을 벗어나야만 가능하단 말이지. 그런데 문제는 이것을 벗어날 때 인간은 엄청난 공포와 고통을 받는다는 거야. 대부분의 인간들은 이것을 극복 못해서 소위 깨달음의 경지에 가지 못하는 거야.〉

〈깨달음이라고?〉

〈그래, 깨달음! 모든 인간들은 이 죽음보다 더 지독한 고통과 공포의 터널을 지나야 마음과 영혼을 이을 수 있지. 물론 이제까지 만들었던 모든 자신의 프로그램을 버리게 되지. 그러니까 축하한다구. 너가 너의 영혼의 세계를 인식하기 시작하는데 34년의 세월이 든 거란 말이야.〉

〈영혼?〉

지석은 그가 하는 말들이 100% 이해가 되는 것은 아니었지만 그 이야기를 받아들일 자세는 갖추고 있었다. 최소한 지석은 유물적인 삶에 지쳐서 여기까지 그를 찾아 온 것이 아니던가.

〈처음 연구의 시작은 이런 깨달음의 근원을 찾고자 시작되었지. 많은 고승들과 종교인들이 그 경지에 어떻게 갈 수 있었는지를 연구하면 그것의 보편화가 가능하다고 생각했지. 처음 몇 년은 전국의 불교 사원들을 돌면서 고승들과 인터뷰도 하고 수행도 해보고 고승들의 다비식 등에서 여러 가지 현상들을 조사하고 하였지만 이 깨달음에 관한한은 무슨 과학적인 증명성이나 보편성을 찾기가 힘들었지. 그래서 오히려 방향을 돌려 왜 깨달아야 하는지에 초점을 맞춘 거야. 일종의 역발상법으로 거꾸로 이유를 찾아보면 그 보편성에 도달할 것이라고 생각했지.〉

〈거꾸로? 그런다고 그 어려운 난제가 풀려?〉

〈물론 풀리지 않지. 우선은 너무나 범 우주적인 문제풀이가 되는데다가 그 광범위한 우주적 역사를 속속들이 알아야 한다는 벽에 부딪혔지. 그래서 그 범위를 축소해 봤던 거야. 우리가 살고 있는 지구로 초점을 옮겼지. 그 지구의 역사를 조사해보면 뭔가 실마리를 잡지 않을까했지.〉

〈그래서?〉

지석은 항상 부엉이 선배의 지적호기심을 높이 평가해온 사람 중에 하나였다. 매 순간 모든 것을 의심하는 그의 버릇은 의심하는 순간부터 그것에 대한 무한 몰입이 발휘된다는 것을 알고 있었기 때문이었다. 그는 한번 붙잡은 난제들의 풀이에 풀이를 의심하고 또 의심해 더 이상 반박의 여지가 없을 때까지 풀어가는 집요함을 보였었다.

지석은 그렇게 집요한 학자적 사고를 가진 그가 언제나 남들이 생각하지 못하는 독특한 결론에 도달한다는 것도 여러 번 보아왔었다. 남들은 그를 궤변가라고 할 수도 있을 것이고 또 어떤 이들은 그를 천재라고 할 수도 있을 것이다.

그러나 부엉이 선배는 남들의 평가에는 무관심해 보였다. 단지 자신이 도출해낸 결론을 강하게 믿는 경향을 보였었다.

〈지구를 하나의 생물처럼 유기적 존재로 보고 이 깨달음에 대한 문제를 풀기 시작하면서 점점 흥미로와 졌지. 지구는 지금 45억 살 정도 되었지. 태양 같은 항성의 생명이 100억 살 정도라고 하는데 지구가 태양의 사멸과 함께 태양의 블랙홀로 빨려 들어가 죽음을 맞이한다고 하면 지금 지구의 나이는 딱 중년이라고 할 수 있지. 현재의 지구는 태양으로 부터 오는 치명적인 태양 방사선을 그 양에 상관없이 항상 같도록 유지 시키고 지구대기권의 산소의 양도 21%로 유지시키고 바다의 염도도 일정하게 유지시키지. 긴 지구의 역사로 본다면 지구가 살아 있다는 말을 반박하기란 어려울 정도로 똑똑하게 환경을 유지하며 살고 있다고 평가할 수 있지. 그런데 아이러니한 것이 있단 말이야.〉

〈뭐가?〉

〈지구는 신생대 이전에 이미 여러 번 그리고 신생대 이후 지금 우리가 살고 있는 4기에 4번 정도의 대빙하기가 왔었단 말이지. 화두를 깨달음으로 놓고 보면 지구상 모든 생명들이 깨달음에 도달하는 것이 목적일 텐데, 지구가 왜 그 고생대, 중생대, 신생대에 걸쳐서 존재하는 생물들의 대절멸을 가져올 빙하기를 거쳐야만 했던 것일까? 아니 혹시 의도에 의해서 빙하기가 만들어진 것일까? 아님 깨달음에 필요충분조건이었을까?〉

〈…….〉

지석은 부엉이선배의 이야기에 빠져 있었다.

〈하지만 여기서 아이러니하게도 지구상의 생물들에게는 생득적인 본능과 지혜라는 것이 주어졌단 말이지. 본능은 대절멸의 희생 속에서도 화학적, 생리적으로 번식하도록 설정이 되어져 있단 말이야. 생물의 이 성적본능은 이성적이고 논리적인 것을 떠나 반드시 하도록 지구가 강요하고 있는 구조란 말이지. 그리고 이 본능을 달성하기 위해 주어진 지혜는 어떤 혹독한 환경 속에서도 자신의 씨를 뿌릴 수 있는 생명력을 어떤 생물들이건 모두 다 가지도록 만들었지. 저 사막에 이름 없는 꽃도 자신의 씨를 뿌리기 위해 기상천외한 모양으로 씨를 굴려 퍼트리도록 지혜를 부여 받았단 말이야.〉

〈그 제한적 프로그래밍?〉

〈으응… 이건 달라. 그 제한적 프로그래밍은 한 인간의 단편적인

의식프로그래밍이라면, 이 지혜는 오랜 시간 걸쳐서 이루어져 온 것이지. 이걸 우리 인간들은 진화라고 부르고.〉

부엉이 선배는 머리를 흔들며 말했다.

〈지혜의 축척이 진화를 가져왔다?〉

지석이 눈을 빛내며 물었다.

〈그렇지! 생물의 본능인 생존과 번식을 위해 얻은 그 모든 것들이 포함된다고 봐. 빙하기때 인간이 본능에 더해진 지혜로 그 혹독한 오랜 기간을 극복하도록 한 것도 모두 같은 맥락이라고 할 수 있지. 그런 지혜 중에서 유독 돈은 인간의 높은 지능 진화를 촉진시켰지.〉

부엉이 선배는 계속해서 말을 이어 나갔다.

〈이런 지혜는 언어로 돈으로 삶의 방식으로, 사실 인간의 삶 자체가 바로 지혜의 결정체라고 할 수 있겠지. 그래서 실존이란 본능과 지혜의 결합체란 것이지. 너무 어렵나? 근데 이 빙하기와 관련해서 내가 하고 싶었던 말은 지금부터야. 지구 역사에서 4만 년 전에 등장한 현생인류는 2만 년 전에 빙하기가 끝나면서 현재 간빙기에 살고 있지. 그런데 유럽과 동양의 역사서속에서는 소빙하기의 흔적이 남아 있단 말이야. 1600년 중반서부터 1700년 후반까지 날씨가 추워져 곡식의 부족과 전염병으로 민심이 흉흉해졌던 역사의 암흑기라고 할 수 있는 중세암흑기에 대한 기록이 남아 있어. 당시의 역사서들에는 전반적으로 날씨가 추웠던 것으로 기록하고 있고 많은 여인들이 마녀로 화형당하지. 우리가 알고 있는 스트라디바리우스바이올린도 이 기간 동안 알프스에서 자란 가문비나무로 만들었다고 해. 그래서 이때 만들어진 바이올린은 그 후대에 찾아볼 수 없이 견고하지. 이밖에도 우리나라의 경신대기근, 일본의 덴메이 대기근이 이 시대로 알려져 있는데, 하나같이 식량부족과

폭동, 역병으로 많은 사람들이 죽은 것으로 기록하고 있지.〉

〈그래? 그러면 형 말은 무슨 소빙하기라도 온다는 거야?〉

지석은 얌전히 경청을 하던 노선을 바꿔 따지듯 물었다.

〈응, 지난 3년간 매일 지구의 자기장을 체크해보고 있는데, 한마디로 지구의 자기장이 정말로 이상하다. 아마도 전문가들도 그 심각성을 알거라고 생각해. 지구 자기의 극성이 이상하게 나뉘고 있어. 양극이 아니라 다극화되는 것처럼 보인다는 거지.〉

〈뭐? 그렇다면 우리들이 느껴야하는 거잖아? 근데 왜 멀쩡한 건데?〉

지석은 극적으로 이맛살을 찌푸리기까지 하면서 그의 말을 반박했다.

〈아니지. 이미 변화들이 감지되고 있지, 그것도 급격히 빠르게 말이야. 우선 GPS가 교란되어 비행기나 헬리콥터 사고가 빈번해졌지. 이런 변화 때문에, 지난 1990년에 세계적으로 현재의 항법지도로 수정했다고 해. 문제는 자기장이 다극화 되어가고 있을 뿐 아니라 감소 추세라는 거야. 거기에 따라서 지난 1800년 이전과 비교했을 때 화산활동이 500%증가했고 지진도 1973년 이래로 그 이전과 비교하면 400%증가하고 있지. 그 뿐 아니라 1963년 대비 1993년에 측정한 바에 따르면 태풍과 산사태, 조류변화 등이 410%증가하고 있는 추세야. 그리고 1900년에는 지구에서 수십억년을 걸쳐 형성된 3천만종의 생물이 살고 있었는데, 단 100년 사이에 지금은 150만종뿐이라는 거야. 이건 누가 지구 밖에서 들여다본다면, 아마도 지구는 죽어가고 있다고 말할 게 분명해. 이 모든 것이 빙하기의 전조라고 나는 생각해. 게다가 북극점 만년설이 몇 년 안에 역사상 처음으로 완전히 녹아 버린다고 해. 이건 무얼 의미하냐고? 그건 지구의 내부온도를 1도씨정도 낮춘다는 것을 의

미하지. 그 1도씨가 지구에 어떤 커다란 재앙을 가져 올지는 두고 볼 일이야.〉

〈그럼 어떡해야 되는데?〉

부엉이 선배의 말을 듣던 지석이 표정을 굳히고 반문하였다.

〈우리가 할 수 있는 일은 없다. 단지 다가올 일들을 회피하고 싶지 않을 뿐이야. 모두 맞닥뜨려, 할 수 있다면 지혜를 모아야지. 인간이 여기까지 올 수 있게 신으로부터 부여받은 그 지혜 말이야. 인간이 아니 지구상의 모든 생명들이 이 난제를 풀 수 있는 지는 아무도 모르는 일이지. 또한 이 혹한기가 인간의 깨달음과 어떤 관련이 있는지 누구도 알 수 없지. 내가 알고 싶은 건 바로 이거야. 앞으로 닥쳐올 지구의 변화가 생물들의 영적인 측면에 어떤 영향을 끼칠 것인가? 〉

부엉이 선배는 지석이 봐왔던 그 어떤 때보다도 진지했고 자존감이 넘쳐 있었다.

그날 이후로부터 지석은 이듬해 봄이 오기 전까지 부엉이 선배의 오두막에서 머물렀다. 그 기간 동안 지석은 부엉이 선배의 연구들에 관해 더욱 깊이 있게 알게 되었다. 더불어서 그는 돈과 자신의 삶 자체에만 맞추었던 인생의 초점을 점점 타인에게로 그리고 지구상의 인류에게로 확대해 나가기 시작했다.

변화가 일어났다.

인생의 초점을 바꾼 것만으로도 그에게 삶의 희망과 의지가 솟아나왔다. 그것이 무엇 때문인지는 설명할 수가 없었다. 시베리아 벌판 같았던 그의 마음이 따뜻함으로 가득한 느낌이었다.

오대산 깊은 산중의 겨울은 혹독하였다. 부엉이 선배의 얘기로는 이제껏 자신이 오대산에 머무르면서 맞이한 어떤 겨울보다도 추웠다고 했다. 그는 그의 빙하기 연구의 예측들이 서서히 고개를 들기 시작함을 직시하였다.

이듬해 2009년 봄의 세계 증시는 여전히 미국발 사태의 여파로 어둡기는 진배없었다. 그동안 이지스로부터 이메일로 경과보고를 받았지만 그의 팀의 손해를 막기에는 아직 턱없이 부족했다. 그래도 그동안의 성과를 인정했던 투자가들의 믿음이 겨우 팀의 와해를 막고 있었다.

봄이 오자, 부엉이선배는 모든 연구 자료와 짐을 정리하지 시작했고 오두막을 떠날 채비를 하였다. 지석은 그 이후의 그의 행로가 궁금해졌다.

〈형, 이제 세상으로 돌아가면 무얼 할 거야?〉

〈글쎄, 먼저 네 녀석 사고 쳐놓은 것부터 해결해야지 않을까?〉

〈뭐? 무슨 뜻이야?〉

지석의 얼굴이 환해졌다.

〈우리가 대의를 가지고 큰일을 도모하려면, 일단 현실적 당면 문제해결이 급선무겠지. 그래서 일단은 네 녀석 팀을 도울 거다. 우리 셋이 다시 뭉치면 신화가 창조되잖냐.〉

〈형!?〉

지석은 말을 잇지를 못했다. 너무나도 그가 고마워서이고 또 현실로 그가 돌아오는 것에 대한 기쁨 때문이었고 자신의 트라우마에 대한 연민 때문이기도 하였다.

〈구약성서에 악마의 수 666이 나오잖아? 구약성서가 쓰여 질 당시의 이스라엘의 왕이었던 솔로몬왕을 아마 기억할거야. 그는 지혜의 왕으로 여겨졌지만 사실 그는 말년에 수백 명의 처첩들과 놀아나고 우상숭배를 위한 거대 황금사원과 거대 황금동상을 세우기 위해 백성들을 강제노동에 징집시키고 황금666달란트를 강제로 징

수시켰어. 결국 국민들의 폭동과 불만으로 그의 치세가 끝나자, 이스라엘이 남북으로 갈라지는 사태를 초래했지. 이때에 기록된 상징적 의미의 이 666이라는 숫자는 백성들을 핍박하여 얻어낸 부의 상징이란 말이야. 그래서 악마의 숫자 666이 상징하는 악마들이란 바로 부를 위해 남을 핍박하는 자들이라고 할 수 있지. 그러니까 돈이란 놈에 대한 트라우마나 집착을 버려! 낙인찍히고 싶지 않다면 말이야.〉

부엉이 선배는 지석의 어깨를 감싸며 아이 달래듯이 두드렸다. 그리고는 말했다.

〈가자! 세상 속으로!〉

2009년 3월로 접어드는 어느 날 저녁, 4개월 만에 세상으로 나왔다.

빽빽한 숲길 대신 고층건물로 둘러싸인 콘크리트의 인조물들이 외계의 도시에 온 것처럼 이상하게 다가오고 한편으로는 건물들에 무슨 감정이 있었던 사람마냥 밉게 느껴지는 것에 지석은 자신의 마음을 알 수 없었다. 다만 이곳을 이제는 더 이상 자신이 좋아하고 있지 않다는 것은 확실했다.

이 도시 속, 많은 사람들이 자신들의 터전으로 삼고 울고 웃으며 살고 있지 않은가? 지석은 자신의 마음속에서 우러나오는 도시에 대한 거부감을 받아들임과 동시에, 자신이 나머지 인생에서 정말로 마법을 부리듯 돕고 싶은 이들이 이곳에 살고 있다는 사실도 받아들였다.

그날 나타난 형들을 보며 이지스는 투정 반, 반가움 반으로 어떻게 그럴 수 있냐고 몰아 세웠다.

오랜만에 모인 3인방의 술자리는 밤이 깊은 줄 모르고 이 얘기, 저 얘기로 종횡무진 쉴 틈이 없었다. 그러다가 그들의 이야기는 다시 '미네르바의 부활'팀을 재결합하여 지난해에 난 투자의 손해를 타계해 보자는 데 맞춰졌다.

〈워낙 미국발 사태로 전 세계적으로 주식시장들이 타격을 받아서 주식시장 경색이 계속되는 상황 때문에, 잔뜩 몸 사리고 있는 투자가들을 모우기가 쉽지 않은 상태야. 게다가 배포 있게 100억씩 풀어 상한가 만들고 담날 무조건 매도하던 투자가들까지도 눈치를 보는 마당에, 일단은 돈이 말라 버린 것이 난국타계에 가장 힘든 점인 거 같어.〉

이지스는 금테안경너머로 그 스마트하게 보이는 눈을 내리깔고 고개를 가로 저으며 말했다.

〈우리가 예전에 모의투자경연대회를 할 때 계산했던 것 기억하지? 투자에서 개인고객이 직접투자로 수익을 낼 수 있는 확률은 10,000명중에 단 4명뿐이라는 거 말이야. 그 4명 속에 들어가는 포인트를 경험을 통해 우리는 알고 있잖아? 지금부터 한 달간 예전처럼 국제 정세와 환경, 날씨, 정치, 사회지표들 분석과 검토에 들어간다. 그리고 한 달 후에 투자 대상을 모색하자구. 아무리 시장상황이 안 좋더라도 뜨는 것들이 반드시 있게 마련이거든. 이 모든 경우의 수 분석으로 우리가 예전에 달성했던 신화를 잊었냐?〉

부엉이 선배는 단호하게 말했다.

〈상황이 워낙 안 좋아서 그러지. 그래도 난 형들이랑 같이한다면, 모험을 걸어 볼 거야. 어차피 손해는 지금 상황으로는 회복이 힘들 듯해.〉

그렇게 해서 다시 뭉친 '미네르바의 부활'팀은 한 달 동안의 분석 작업에 들어갔다.

증권회사에 드나들이를 하는 사람들은 어디서든 눈에 뜨이는 그들이 뭐하는 사람들인지 의아했는가 보다. 당장에 그들은 모두의 관심 대상이 되었다.

머리를 스님처럼 빡빡 밀었다든가, 아니면 머리와 수염을 덥수룩이 기르고 산에나 사는 도인마냥 하나로 묶은 사람이 양복을 입고 왔다 갔다 하는 꼴이 우스워 보였는지, 방문객들이나 일부직원들은 그들의 행태를 호기심 있게 지켜보았다.

자료 분석으로 골몰하던 지석은' 오대산에서 들은 부엉이 선배의 빙하기 연구에 대한 것들을 한동안 잊고 있었었다. 그런데, 4월 중순에 접어들면서 한참 꽃들이 흐드러지게 피어나야할 시기에 한파가 닥쳐왔다.

매스컴에서는 예상했던 것보다 빨리 북극의 눈들이 거의 녹았고 이번 여름에는 완전히 녹을 것이라고 보도하였다. 사람들은 이상기온현상에 두꺼운 옷을 다시 꺼내 입는다고 투덜대는 정도로 현상을 바라보는 눈이 자신들에게로 한정되어 있을는지 몰라도, 지석이나 부엉이 선배에게는 예측된 현상들이었던 것이다.

급기야는 따뜻해야할 그 해 봄에 때 아닌 폭설이 내려 피어났던 모든 꽃망울들을 떨어 뜨렸다. 연일 벌어지는 이런 이상기온현상에 대한 보도를 접하고는 부엉이 선배는 무언가 영감을 얻은 듯했다.

〈농산물 펀드야! 다른 자산에 비해 저평가 되어 있는데다가, 올해 봄 날씨로 보아 반드시 농산물 가격폭등을 가져 올 거야. 호주나 뉴질랜드, 남아메리카지역에는 보기 드문 가뭄으로 그리고 유럽이나 북아메리카는 따뜻해야할 봄에 찾아온 혹한으로 인해 올 한해 농사를 망칠 게 분명하다구. 당장은 아니겠지만 이런 이상기후가 계속된다면 아마도 전 세계는 유례없는 대기근을 맞을 가능성이 높아. 당장 내년 이 맘 때면 지금 투자한 농산물가격이 우리가 상

상하기 힘들 정도로 올라 있을 거라는 거지.〉

부엉이 선배의 분석에 따라 그들은 농산물펀드에 투자를 하였다. 하지만 예상보다 빨리 시장은 반응하였다. 옥수수, 대두, 쌀의 가격이 일제히 오르기 시작하여 두 달 사이에 곡물가는 샀던 가격에 10배가 올랐다.

봄에 꽃을 맺지 못해 농사를 망치자 각 나라의 정부에서는 보유하고 있던 묵은 곡류를 풀었지만 시장의 불안을 해소하지는 못하였다.

그 투자로 인해서 '미네르바의 부활'팀은 단번에 주식의 손해 50%정도를 만회하였다. 이를 지켜보던 투자가들이 그들 팀의 투자를 믿기 시작하여 재투자 100% 도입하면서 그들은 더욱 의기양양해졌다.

하지만 현실적인 안도감과는 반대로 지구상황은 점점 더 악화 되었다. 일본과 아이슬란드 일부 지역에서 대규모 화산활동이 시작되었다. 게다가 뉴질랜드와 콜롬비아의 화산들도 화산활동의 조짐들이 보이고 그런 지역을 중심으로 크고 작은 지진들의 피해가 속속들이 보고되었다.

그런 가운데 농산물가격의 폭등이 가져온 여파는 시장경제에 부담으로 작용해서 주식시장에 타격이 채 가시지도 않은 마당에 각 나라마다 인플레이션 조짐이 보이기 시작하더니 드디어 파동이 일어났다.

한국에서 배추를 한포기에 10만원을 주고 사야할 정도였다. 이런 현상들은 일부 지역에서는 시위로 이어지고 있었는데 농사를 망친 농부들을 시작점으로 해서 그 유통에 참여하던 유통업체의 줄도산으로 연일 대책마련에 대한 시위가 일어나고 민심이 흉흉해 흉악범죄들이 매일 뉴스를 장식하고 있었다.

그리고 어느 날, 전 세계인들을 공포에 이르게 하는 사건이 벌어졌다. 20일전부터 시작된 살인적인 폭염으로 사망자들이 속출하던 서울의 어느 여름날은 낮 기온이 40도로 올라 전국적으로 학교들이 휴교령이 내릴 정도였다.

2009년 7월 26일, 전 세계적으로 모든 하늘에 오로라가 관측되었다.

이후 오로라는 15일 내내 지속되었는데 전문가들은 대형 흑점의 폭발로 인해 태양플레어에 의한 것으로 분석하고 있었다.

부엉이 선배에 따르면 그 기간의 지구자기장이 50% 감소하고 자기장자체가 상당히 일그러진 상태라고 했다. 이런 현상들에 종교계에서는 지구의 멸망의 날이 다가 왔다며 신을 믿어야 천국에 갈 수 있다고 거리 행진을 벌이기도 했다.

지구의 이곳저곳에서 벌어지는 현상들과 기근의 전조는 국제정세에 악영향을 가져왔다.

설상가상으로 유럽발 독감바이러스가 퍼지며 전 세계적으로 10만에 가까운 사람들이 희생하자, 서로에게 잘잘못을 떠넘기더니 결국에는 농작물의 수출입문제가 발생했던 독일과 스페인의 관계가 악화되어 유럽전역에 어두운 전운이 감돌기 시작했다.

유럽의 여러 나라들이 중재를 나서기는커녕, 서로의 이득에 따라 선전포고를 해대기 시작했다. 그리스와 포르투갈과 이탈리아는 스페인의 편에 섰고 영국과 프랑스, 노르웨이는 독일을 지지하고 나섰다.

유럽이 이렇듯 남북진영으로 나뉘어 마치 자국 안에서 생겨나는 폭동들을 유럽전역의 또 다른 대전으로 무마해 보려는 듯 내외적인 상황이 일촉즉발에 상태에 놓여 있었다.

그러면서도 가장 많은 곡물의 보유량을 가진 미국은 각국의 지지선언들에도 불구하고 부동의 모습을 보여 주었는데 거기에는 그만한 이유가 있었다.

미국이 자국의 경제난과 식량난 타계 등을 이유로 달러의 무한발행 선언을 한 이후, 국채발행이 한계점에 다다른 상태였던 것이다.

〈안되겠어, 이 상태로 가다간 우리도 끝장이야. 될 수 있는 대로 자금을 끌어 모아서 금을 구입해야겠어.〉

부엉이 선배는 미국이 달러유지의 의지가 한계에 달했다고 판단했다.

〈그들이 달러를 휴지조각으로 만들 거야.〉

'미네르바의 부활'팀은 있는 자금 없는 자금을 끌어 모아 금을 구입했다. 될 수 있는 한 끌어 모은 금은 25톤가량이었다. 그 양은 공식적으로 한국정부의 한국은행 보유량에 이어 국내 2위가 되는 양이었다.

회사 내에 특별 금고를 설치할 것이 건의되고 미국사태에 대한 팀의 예측을 받아들이면서 회사에서 발 벗고 나서서 금의 매입에 나섰던 결과였다.

특별금고에 잔뜩 쌓인 금괴를 보다가 갑자기 지석은 등골이 오싹해짐을 느꼈다. 눈을 비벼서 다시 한 번 금괴표면의 숫자를 자세히 보았다.

666이었다.

그 악마의 숫자인 6·666이 모든 금괴 조각위에 새겨져 있었다. 나중에 다시 살펴보니까 금괴위에 새겨진 금의 순도 999.9%라는 숫자를 거꾸로 본 것이라는 것을 알았지만 순간적으로 부엉이 선배가 들려준 이야기가 깨달음처럼 뒷머리를 때리고 지나가면서 온몸이 싸늘해질 정도의 한기를 느꼈던 것이었다.

금의 운명은 인류에게 사랑받은 만큼 악마의 소유였던 것인가?

금의 도입을 추진한 후 2달이 되지 않아 미국은 더 이상 버티질 못하고 달러의 몰락을 가져왔다.

그 달러의 몰락의 여파는 미국에게는 가혹했다.

마치 오랫동안 부흥하던 로마의 멸망을 보듯 미국은 망가져 갔다. 한 달 사이에 급속도로 미국전역이 전쟁터가 되었다. 서로들 알 수 없는 이유들로 총부리 겨누었고, 유사 이래로 미국은 서부시대보다 끔찍한 지옥 같은 곳으로 전락했다. 공식적으로 무정부상태가 지속되었고 미국은 오랜 내전상태를 맛보아야했다.

미국의 부자와 기득권들의 예상은 여실이 빗나갔다. 세계가 미국이 달러를 버릴 경우 미국정부가 새로 내세운 화폐를 따라 올 거라고 예상했겠지만 유럽은 전운이 감돌고 있었고 나머지 나라들도 식량의 부족과 전염병으로 미국의 눈치를 볼 상태가 못 되었다.

달러의 몰락으로 금을 확보하지 못한 국가들은 오라토리움을 선언했고 극심한 인플레를 감당해야만 했다.

북한은 경제권의 대부분을 남한 정부로 넘기고 무정부상태가 되었다. 그런 상태의 북한과 남한의 외교에 나선 건 정치가도 아니었고 재벌 총수 같은 경제인도 아니었다. 바로 전 세계적으로 인기 있었던 축구선수인 A였다.

사람들은, 아니 A자신조차도 역사 속에서 남북통일의 선봉에 선 외교가가 될 줄은 꿈에도 알지 못한 일이었다.

사람들은 남북한 모든 사람들이 아끼던 A 그의 경기 못지않게 침착하고 열심히 해결해 나가는 모습에 무한한 믿음을 주었다.

또한 한때 북한의 통치자였던 당1위원장 역시 유럽 유학시절부터 그의 팬임을 공언했다.

가난 구제는 나라님도 못한다고 했던가.

큰 땅덩어리만큼 많은 인구를 자랑하던 중국은 오히려 식량의 부족으로 인해 불려왔던 국토가 화근이 되었다. 여기저기서 분리 독립선언과 더불어 잠정적으로 5개 지역 분리 통치의 기반을 마련하였다.

일본은 계속되는 화산, 지진활동으로 인해서 국제적으로 대규모 이주를 계획 중이라는 소문이 주식시장에 파다하였다. 이주 예상 지역은 만주와 간도 지방의 불모지였다.

며칠간 지구 전역에서는 동시다발적으로 불길한 굉음이 들려왔다. 사람들은 이것 또한 불길한 전조라고 불안에 떨었다.

그 소리는 마치 쇳소리마냥 거칠듯하면서도 땅 끝 멀리에서 거대한 관을 통해서 나는 소리처럼 뇌를 울리듯 진동소리를 동반하였다. 사람들은 드디어 지옥의 문이 열리는 소리라고들 떠들어 대었다.

한국에서는 천안 광덕산 일대에서 며칠째 이상한 굉음이 계속된다는 보도가 매스컴을 통해 나갔다. 광덕산 주변에 가스시설이 있는 것도 아니고 그 일대의 군부대에서도 굉음의 원천이 어디인지 알지 못해 오히려 비밀리에 그 주변을 샅샅이 뒤지라는 명령이 떨어졌을 정도였다.

오대산에서 하산한 이후 일 년 동안, 걷잡을 새 없이 급변한 정치, 경제 상황에서도 영재들로 이루어진 팀답게 위기를 오히려 기회로 잡는 기지를 발휘했던 3인방은 그 일 년 동안 거의 마이너스에 머물러 있던 자산운용팀의 피해를 만회하였다.

〈이젠 이곳에서 우리가 할 일은 끝난 것 같다.〉

부엉이 선배가 세상이 굉음으로 시끌시끌해져오고 있는 2010년 4월 어느 날 지석에게 말했다.

〈그럼, 이제 어디로 가야하지?〉

지석은 어깨에 짊어졌던 짐을 그 덕분에 내려놓을 수 있었고 역시 홀가분하게 떠날 때가 바로 지금임을 알았다.

〈광덕산으로 가자. 지금 우리가 할 수 있는 것은 지구가 직접 보여주는 싸인을 따라가 보는 거라고 생각한다. 그러다 보면 무슨 열쇠를 찾을 수도 있고 운이 좋으면 우리가 무엇인가 힘을 보탤 수도 있지 않을까 싶다.〉

그렇게 그들 영재 패거리 3인방은 광덕산으로 향했다.

묘하게 귀를 울리는 기분 나쁜 소리가 온 산을 진동하듯 울려 퍼지고 있었다. 이 굉음은 벌써 3일째 계속되고 있었다.

'징-, 징-, 징-'

그 소리는 땅속 깊은 곳에서부터 올라와 하늘로 울려 퍼졌다.

광덕산 일대에 도착한 이후, 계속되는 굉음에 3인방은 압도 되었다.

〈도대체 이 UFO에서나 날 소리의 정체가 뭘까?〉

지석이 인상을 찌푸리며 부엉이 선배에게 마치 답을 달라는 듯 물었다.
〈글쎄, 내 귀에는 마치 무슨 고주파가 하늘 전체를 채우고 있는 것처럼 들리는데?〉
부엉이 선배가 산과 하늘을 두루 살피며 대답하자 기다렸다는 듯이 이지스가 말을 이어갔다.
〈나는 마치 거대한 파이프 오르간이 울려 하늘에 울려 퍼지는 것 같이 들려.〉
〈음향중력파라고 태양의 플레어의 충격에 의해 지자기권, 대기권과 전리층이 불안해져 나타나는 현상이 있기는 한데, 어떤 이는 지구의 내핵이 이동하는 소리라고 주장하기도 하고 또 어떤 음모론자들은 미국의 비밀무기인 하프라고 주장하는 사람들도 있어.〉
역시 실망시키지 않은 부엉이 선배의 해박함이었다.
〈지구주변의 지자기들끼리 부딪혀 굉음을 낸다는 게 과학적이고 설득력이 있게 들리는데?〉
이지스가 금테 안경다리를 살짝 쓸어 올리며 말했다.
〈그렇긴 하지. 근데 말야. 우리 인간들의 감각기관의 영역이 어디까지라고 생각해?〉
재미있다는 듯이 웃으며 부엉이 선배가 물었다.
〈글쎄··· 인간이 자신들을 측정의 척도로 놓고 보고 있기 때문에 객관적이라 여길지는 몰라도 우주적으로 놓고 보았을 때는 상당히 주관적이 되는데다가 측정에 있어서는 미지의 세계와 같은 거 아닌가?〉
지석이 부엉이 선배의 옆얼굴을 보면서 답했다.
〈그렇기에 인간의 감각기관이란게 말이야 믿을만한 건지는 모를 일이라구. 너네 개미가 밥 먹는 소리 들어 본 적 있어? 그리고, 이 거대한 지구가 자전할 때 나는 소리를 들어 본적이나 있냐고? 어

떻게 보면 우리 감각기관이란, 우리가 생각하는 것보다 훨씬 왜곡되어 있을 지도 모른다구.〉

부엉이 선배는 눈썹을 치켜 올리고 팔짱을 끼며 말했다.

〈그럼 뭐야? 지금 이 귀신 나올 것 같은 굉음이 원래부터 나던 소리라는 거야?〉

이지스가 부엉이 선배의 어깨에 손을 올리며 물었다.

〈그럴지도…….〉

〈뭐? 말도 안 돼! 그럼 왜 지금은 우리 귀에 들리는 거야?〉

〈그럴 환경이 조성이 되었겠지. 자세한건 나도 모르지. 내가 지구가 아니잖아?〉

부엉이 선배는 고개를 설레설레 흔들면서 지석과 이지스를 번갈아 쳐다보며 장난끼서린 웃음을 지었다.

3인방은 작정한 듯 등산복에 배낭을 멘 채 광덕산의 등반을 위해 광덕사로 향하고 있었다.

광덕사에 다다르자 부엉이 선배는 절에 가면 항상 하던 그의 버릇대로 절의 주지를 찾았다. 주지의 거처로 안내된 일행이 들어선 방에는 수행자처럼 보이는 여자보살과 외국인 근로자처럼 보이는 두 명의 동남아 계통의 중년의 남자들이 앉아서 마치 기다리던 사람들을 대하듯 그들을 맞이했다.

〈어서들 오시지요.〉

나이가 지긋해 보이는 이 절의 주지가 자리에서 일어나 그들에게 말했다.

3인방은 일제히 합장을 하고 다소곳이 방석을 당겨 앉았다. 낯설은 장소에서 의외로 마치 오랫동안 기다렸다는 듯이 맞이하는 주지일행에 잠시 3인방은 어리둥절했다.

〈스님, 저희는 이 산에서 기이한 굉음이 계속된다는 소문을 듣고

이렇게 찾아 왔습니다.〉
부엉이 선배가 방문의 이유에 대해 말했다.
〈네, 그럴 테지요. 저희도 당신들을 기다리고 있었습니다.〉
주지스님은 얼굴에 엷은 미소를 머금고 머리를 끄덕이며 말했다.
〈저희를 기다리다니요?〉
이번엔 지석이 이 알 수 없는 묘한 분위기를 이해할 수 없다는 듯이 물었다.
〈그 이유를 설명하기 전에 먼저 소개할 사람이 있습니다.〉
주지스님은 옆에 있는 여자 보살을 오른손으로 펴서 가리키며 말을 이었다.
〈바로 이 분입니다. 사실은 제가 아니라 이 분이 당신들을 기다리고 있었습니다.〉
3인방은 일제히 그 정체를 알 수 없는 여자수행자에게 시선이 꽂혔다. 다소곳이 눈을 내리깔고 대화를 듣고 있던 여자가 두 손을 합장하며 고개를 수그려 인사를 했다. 3인방은 모두 당황한 듯이 일제히 합장을 했다.
〈제가 이제 어떤 계획에 따라 임무를 수행함에 있어 세분이 저를 도와주러 와주기를 기다리고 있었습니다.〉
여자보살은 살짝 눈을 떠 그들을 응시하며 조용히 말했다. 3인방에게는 당황의 연속이었다.
〈도와주러 온다고 누가 그러던가요? 우리도 아무 생각 없이 이곳으로 온 것인데요.〉
부엉이 선배가 의아하다는 듯 말했다.
〈정확히 아무 생각 없이 오신 분들은 아닐 거라는 것을 압니다. 모두들 지혜로운 분들이라 알아서 이곳으로 올 것을 알았을 뿐입니다.〉

이번에는 말없이 앉아 대화를 듣고 있던 한 동남아 근로자가 영어로 말했다. 주지와 여자보살, 동남아 근로자로 이어지는 그 조합도 이상했거니와 그들이 말하는 요상한 점쟁이 같은 말들은 더욱 이상했다.

〈이 여자보살님은 운명적으로 세분을 만나기로 되어 있었으며 세분들은 이미 태어나기 이전부터 지혜로운 자로 선택이 되셨고 그 지혜를 이 분이 하시는 일을 위해 쓰시도록 설계되었습니다. 그리고 또한 여자보살님께서 아니 이름을 밝혀드리면 '이 사라'님께서 모든 임무를 수행한 이후, 당신들은 세상에 존재하는 모든 생물들의 지혜를 종결하도록 운명 지어졌습니다.〉

3인방은 동남아인으로 보이는 이가 영어로 떠드는 알 수없는 이런 이야기를 입을 벌린 채 듣고 있을 수밖에 없었다. 무슨 이야기를 하는지 도무지 이해가 되지 않았고 마치 이야기책에서나 나오는 전설 같은 이야기를 더더욱 믿을 수가 없었다.

서로 얼굴을 쳐다보기만 하고 할 말을 잃고 있는 가운데 부엉이 선배가 말을 꺼냈다.

〈그것이 누구를 위한 일입니까?〉

〈지구상에 있는 모든 생명들의 영혼을 위한 일입니다.〉

동남아인이 그의 말에 답변했고 그 답변을 들은 이후 부엉이 선배의 표정은 안정화되었다.

〈우리가 이곳에 온 이유가 바로 그것을 위해서입니다. 어떤 일인지 모르지만 저희도 함께 하겠습니다.〉

영혼을 경색시키고 죽이는 일이 아니라 그 영혼을 살리고 그 영혼을 위해 그가 할 수 있는 일을 하리라 다짐했던 지석이었다. 그는 오늘 이곳에서 자신이 그동안에 겪은 고통의 삶이 그들을 만나기 위한 운명적 삶의 일부였다는 것을 깨달았다. 그것은 참으로 이상한 느낌이었다. 불과 몇 년 사이에 그는 영혼에 눈을 떴고 영혼을 들여다보고 살았지만 그 영혼이 이 일을 하기위해 오랜 세월 기다렸다는 강한 무게감을 느낄 수 있었고 강하게 진동하고 있음을 알았다.

그것은 오래전부터 그래왔었지만 느끼기 시작한 것은 처음이었다.

제4장. 제왕의 비밀

1.카르마 에너지

2.세 가지 보물

3.어머니의 메시지

제4장. 제왕의 비밀 1

1. 카르마에너지

몇 주 만에 만나는 혜원이었다.

〈도대체 선배, 어디에 가 있었던 거야? 걱정했었잖어!〉

걱정 반 화냄 반으로 다그쳐 묻는 혜원의 얼굴은 말투와는 반대로 나를 만났다는 기쁨을 숨기지 못하고 있었다. 그런 그녀의 얼굴을 보니까 미안함이 앞섰다. 개인적인 운명에 휩쓸려 다니느라 챙겨주지도 아껴주지도 못하고 이제는 언제 볼는지 모를 여정에 오른다는 말을 꺼내야만 했다.

〈선배, 경찰에서 전화 왔었어. 선배에게 상해를 입힌 사람이 누군지 물어 보더라. 근데 왜 이렇게 연락이 안 됐어? 전화기도 꺼져있고.〉

〈아……, 좀 일이 있었어.〉

요 근래 정상적이지 않은 나의 상태를 알기에 그녀는 오히려 조심스럽게 나의 얼굴을 살폈다.

〈상처는? 걷는데 불편하지는 않아?〉

〈응. 괜찮아. 다 네 덕분이야.〉

그녀는 무언가 말하려고 나를 쳐다보다가 눈을 다시 내리깔고 생각을 정리하는 듯하였다. 그 와중에 나의 여행용가방이 눈에 뜨였는지 동그래진 눈으로 말했다.

〈선배, 웬 가방이야? 어딜…… 가는 거야?〉

〈혜원아, 오늘 오후 비행기로 티벳으로 갈 예정이야.〉

〈티벳?!〉

여행을 간다는 것도 놀라운데 그 행선지가 전혀 생뚱맞은지 그녀의 반문하는 강도가 셌다.

〈거긴 왜? 여행가는 거야? 몸두 다 회복 안 됐을 텐데.〉

〈네가 아마 궁금해 할 거라고 생각해. 근데, 혜원아 그동안 나를 괴롭히던 일련의 사건을 종결지으려고 가는 거야.〉

나의 말에 혜원은 묘하게 상을 찡그렸다. 그리고는 잠시 침묵을 지키더니 다짐을 받듯이 반문하였다.

〈거기에 가면 선배를 괴롭히던 일들이 정말 해결이 되는 거야?〉

〈응……, 아마도.〉

또 한 번 침묵으로 그녀는 나를 마음 아프게 했다.

〈그럼, 다녀와. 내가 전에 말했잖아. 난 언제나 선배의 지지자야. 선배가 하는 어떤 선택이든 나는 믿어.〉

그랬다. 그녀는 내가 하는 어떤 선택이나 행동에 애인이라는 이유로 제재를 가한 적이 없었다. 오히려 희생시키고 걱정만 끼쳤다는 것을 알기에 이 순간 나는 사랑하는 사이라는 이유로 그녀에게 항상 마음의 짐을 안겨 준 것에 죄책감을 느꼈다.

〈미안해. 그리고 고마워.〉

2010년 5월 3일 오후

인천공항에 도착해서 승려 앙카와 남게이를 발견했을 때 그들은 다른 4명의 한국인과 함께 있었다. 앙카가 그들을 나에게 소개하였다.

〈인사 나누십시오. 모두 함께 하실 분들입니다.〉

4명 모두 유창하게 영어를 구사하고 있었다. 이일에 어떻게 휘말려 온 사람들인지는 모르겠으나 일의 불명확성과 사안의 무거움 때문인지 다들 표정들이 굳어 있었다.

그중에서 나와 연배정도의 유일하게 홍일점인 이 사라라는 여자는 무언가 눈빛이 묘한 분위기를 풍기고 있었고 수행승들이 입는 회색의 통이 넓은 바지와 저고리를 입고는 손과 목에는 염주를 차고 있었다. 그리고 30대 초반으로 보이는 나머지 3인의 사내들도 그 여자 못지않게 묘한 조합이었다.

자신을 이 지석이라고 소개한 훤칠한 키의 남자는 머리와 수염을 잔뜩 기르고는 청바지와 티셔츠를 입은 차림이 1960년대의 흡사 히피족을 보는 것 같았고 그가 부엉이 형이라고 부르는 키가 작은 남자는 삭발한 머리에 평상복 차림을 한 것이 스님인지 평인인지 헷갈렸다. 그나마 그 중에서 제일 평범해 보이는 이지스라는 남자는 금테 안경에 트랜디한 캐주얼차림이 누가 봐도 부유층의 엘리트로 보였다. 그 사내들은 그 여자와는 달리 서로 말을 놓는 막역한 사이처럼 보였다.

그들이 어떻게 그리고 무엇 때문에 이 일에 동행을 하게 되었는지 알지 못했지만 그들도 나만큼이나 고통에 뒤따른 결론이었는지 서로들 거의 대화를 하지 않았다. 무거운 마음의 무게 때문인지 비행기가 날아오르는 이륙의 순간이 바닷속으로부터 집어 올려지는 거대한 바위덩이마냥 그 버거움을 더하고 있었다.

베이징을 경유해서 다른 비행기로 갈아타고 티벳의 라싸공항까지 3시간20정도를 소요하는 비행기 안에서 깜빡 잠이 들었다가 기장의 방송 소리에 눈을 떠보니 비행기는 공항에 랜딩을 기다리고 있었고 창밖은 어둠이 내려와 있었다.

일행들은 공항에서 라싸행 버스로 옮겨 탔다. 1시간 30분쯤을 불빛이 없는 오지를 지나서 라싸시내에 도착했지만 일반적인 나라의 도시에서 볼 수 있는 불빛의 유희들은 찾아 볼 수가 없었다. 다만 커다란 광장에 일행들이 내렸을 때 다른 건물들에 비해서 우뚝 솟아오른 듯이 보이는 거대한 포탈라궁을 마주 할 수 있었다.

흥미롭게도 포탈라궁 밖의 광장에는 많은 이들이 오체투지를 하고 있었다. 저마다 손바닥에는 나무로 된 장갑을 끼고 앞에는 기다란 앞치마 같은 옷을 걸치고 광장바닥에다가 깔아 놓은 담요위로 쉬지 않고 절을 해대고 있었다.

이렇게 많은 사람들이 이 밤중에 절 삼매경에 빠져 있는 것을 보니 정말로 티벳 라싸에 와 있구나하는 생각이 들었다. 절을 하는 사람들의 진풍경에 압도되어 신기해하고 있던 중, 머리를 삭발한 부엉이 형이 승려 앙카에게 물었다.

〈저기 저 포탈라궁의 푸른빛이 조명입니까? 하늘 위까지 번진 듯한 빛이 이상합니다만.〉

그의 말에 승려 앙카가 갑자기 두 손을 합장하면서 포탈라궁 쪽으로 허리를 구부려 절을 하였다. 부엉이 형의 말을 듣고 보니, 포탈라궁에서 번져 나오는 푸른빛은 유영하듯이 공기 중에 움직이고 있었는데 그 빛이 오로라마냥 보랏빛으로 변했다가 옅어졌다가 더욱 빛나다가 구름처럼 밀려다니고 있었다.

이윽고 절을 마친 승려 앙카가 질문한 부엉이 형이 아니라 나를 쳐다보면서 입을 열었다.

〈저것은 조명이 아닙니다. 저것은 카르마의 에너지입니다.〉

그 소리를 듣는 순간, 서슬 퍼렇게 카르마의 존재들로부터 풍겨나오던 푸른빛을 기억해내고는 그 유사함에 등골이 오싹해지고 이마에 금세 식은땀이 맺혔다.

〈자세한 것은 내일쯤이면 알게 되시겠지만 카르마의 에너지를 잠재우는 것이 우리의 여정에 첫 번째 임무가 될 것입니다.〉

승려 앙카의 말을 들은 뒤, 갑자기 정신이 명확해지면서 공항에서부터 느꼈던 어지럽고 메스꺼운 고산증상이 일시에 사라져 버린 듯했다. 일행들은 임무의 불확실성과 난해함에 벌써부터 풀지 못한 난제를 안고 있는 학생이 된 기분으로 서로를 쳐다보았다.

승려 앙카 역시 이제까지 보지 못했던 비장한 표정으로 일행들을 궁 쪽으로 안내해 들어갔다. 하루 종일 관광객이 끊이질 않고 붐비는 궁 안이었겠지만 관람시간이 끝난 궁 안은 벌레 발자국 소리도 들릴 것처럼 고요하였다. 단지 궁 안의 이국적인 향내만이 현실적으로 내가 어디에 와 있는지를 말해주고 있었다.

홍궁으로 안내를 받은 우리들은 궁 안의 승려 두 명으로부터 각각의 숙소를 배정받았다.

방에다가 여장을 풀고 궁 밖으로 나 있는 창문을 통해 광장을 내다보고 있노라니 노크소리와 함께 흰옷을 입은 승려가 들어와 영어로 팔에 링거를 놓을 거라고 말했다. 함께 온 이 사라씨가 방을 배정 받은 후, 먹은 것을 토하고 고산증세가 심해져, 일행들에게 고산증세 완화를 위해 링거를 놓기로 했다고 말했다.

그 링거 탓인지 기분 탓인지는 모르겠으나 낯선 고산지에서의 첫날밤은 고산증세 없이 편안히 잠들 수 있었다.

다음날 아침 나를 비롯한 일행들 모두는 컨디션이 좋아 보였다. 모두들 함께 식당으로 안내받아 식사를 하였다. 그 후 잠시간의 휴식시간을 보내고는 꽤 큰 둥근 원탁이 있는 방으로 안내되었다.

그곳에는 승려 앙카와 남게이를 포함하여 여섯 명의 승려들이 원탁주변으로 빙 둘러 앉아 있었다. 그중에는 매우 나이 들어 보이는 고령의 노승이 있었는데 방에 들어오는 순간부터 그는 나를 뚫어져라 주시하였다.

우리 일행이 원탁주위의 의자에 착석하자, 승려 앙카가 일어서서 일일이 승려들에게 우리들을 소개 하였다. 각자의 이름이 불리었을 때 간단한 목례로 인사를 대신하였고 이 사라씨는 합장을 하였다.

〈이 분들이 앞으로 우리의 여정을 함께하실 분들이십니다. 부디 여러 스승들의 지혜를 모아 그 여정이 성공적으로 수행되도록 해주십시오.〉

이에 처음부터 나를 응시하고 있던 노승이 쉰 목소리로 입을 열었고 젊은 승려 한 명이 영어로 통역하였다.

〈세상을 움직이는 운명의 수레바퀴 같은 것이 카르마라면 우리들이 이곳에 모여 이렇게 얼굴을 마주할 수 있는 것은 다르마의 부름 때문입니다. 카르마는 우리가 운명적으로 부딪히게 되는 일들을 가리키지만 다르마는 우리가 이 세상에서 해야만 하는 의무를 말하는 것입니다. 우리 모두는 인류를 위한 어떤 다르마를 가지고 태어났습니다. 우리들의 타고난 특출한 재능과 능력들은 모두 이 신성한 의무를 수행하기 위해 부여받은 것입니다.〉

이 노승은 심도 있는 불교적 철학을 말하고 있었으나 그곳에 모인 어느 누구도 그 어려운 철학을 이해 못하는 이는 없어 보였다. 완벽히 이해할 수는 없었지만 저마다의 사연으로 이곳에 모인 사람들인 터라 모두들 어느 정도 그 다르마의 부름을 인정하는 눈치였다.

노쇠한 모습임에도 불구하고 쉰 목소리였지만 떨림도 없이 뚜렷하고 자신에 찬 어조로 계속해서 말을 이었다.

〈앙카, 이제 우리에게 밝혀 주게나! 여기에 모인 운명의 운반자들이 호랑이 둥지인 탁상사원으로 돌려 보내야하는 '사자의 서'는 어디에 있는 것인가?〉

원탁의 방에 모인 모두가 '사자의 서'라는 단어에 반응하듯 일제히 승려 앙카를 응시하였다.

승려 앙카는 모두의 시선을 느끼며 담담하게 말을 꺼냈다.

〈저희 '사자의 서' 수호자들인 탁상사원의 승려들이 그 장소를 찾고 확인하는 데는 오랜 세월이 걸렸습니다. 색의 세상에서 우리 모두의 본연의 빛인 불성에 해당하는 공통된 단어를 전 세계역사에 대한 연구에 연구를 거듭하여 고대로부터 언어에 새겨 놓은 그 퍼즐을 풀 수 있었습니다. 기원전 고대 종교인 영지주의에서 빛의 신인 플레로마로부터 태어난 빛의 사도를 일컫는 '아이온'과 그 하위 신의 개념으로 사용되면서 동시에 기원전 고대 그리스의 통치자를 일컫는 '아르콘'. 고대의 한국에서 하늘의 빛의 아버지를 일컫는 '어라한'. 인도에서 깨달음에 이르러 내면의 빛을 찾은 부처를 일컫는 '아라한'. 고대 몽골에서 신성함을 일컫는 '아리온'. 이토록 불성을 이르는 세계 공통어를 찾아내서 두 개의 장소를 물망에 올렸습니다. 그 한 곳은 스페인 북동부지방의 옛 아라곤왕국의 잔재가 남아 있는 '아라곤'이란 곳과 신통의 기원을 가지며 거주민인 부라야트 원주민은 이곳을 '아리혼'이라고 부른다는 바이칼호수의 '알혼섬' 이 두 장소였습니다.〉

그의 말에 노승이 눈을 가늘게 뜨며 입을 열었다.

〈내면의 빛인 불성을 일컫는 공통어라……. 그렇다면 '아라곤'과 '알혼섬' 두 장소 중 어떤 것인가?〉

〈'알혼섬'입니다. 두 개의 장소는 오랜 시간동안 조사가 되었지만

역시 징기스칸의 주 활동무대였던 '알혼섬'에 '사자의 서'의 존재가 확인되었습니다.〉

〈오오오! 정녕 알혼섬에 '사자의 서'가 있단 말인가? 어디에 어떻게 존재하고 있단 말인가?〉

〈정확히 말하자면 그것은 바이칼 호수 안에 있습니다.〉

바이칼 호수 안이란 말에 원탁의 방에 모인 이들이 술렁거렸다. 그 중에서 노승의 옆에 앉은 샤키아사원의 주지라고 소개된 창바라제스님이 격앙된 얼굴로 질문했다.

〈바이칼 호수 안이라 했는가? 그렇다면 우리 운명의 운반자들이 과연 그것을 얻는 것이 가능하겠는가?〉

〈더 정확히 말하자면 바이칼 호수 안에 있는 징기스칸의 묘안에 '사자의 서'가 존재하고 있습니다.〉

승려 앙카의 이야기는 방의 모든 이들을 점점 흥분되게 하고 있었다. 나 역시도 징기스칸의 묘에 대한 이야기는 난생 처음 듣는 소리였다.

승려 앙카의 말에 모두들 기가 막혀 있는 분위기였다.

〈사실……, 호수 안에 있는 징키스칸 묘를 어떻게 들어가서 '사자의 서'를 얻어 올지는 아무런 대책이 없는 상태입니다. 다들 이해하시기 어렵겠지만, '사자의 서'에는 그것만의 결계가 따라 다니기 때문입니다. 그래서 그 방법론에 관한한은, 다만 신들의 계획에만 있는 것이지, 우리의 계획엔 없다는 것입니다. 하지만 우리들이 믿고 있듯이, 이 모든 계획이 신들의 것이라면 반드시 그 해결법은 찾으리라 생각합니다. 그리하여 우리 탁상사원의 승려들은 그것에 대한 아무런 계획을 세우지 않았습니다. 어차피 인간의 힘으로는 할 수 없는 일이기 때문입니다.〉

그 이야기에 유난히 얼굴이 창백해진 이 사라씨가 우리들 가운데 처음으로 입을 열었다.

〈인간인 우리들이, 인간이··· 할 수 없는 일을 할 것이라는 말을 어떻게 믿고 이 여정을 함께할 수 있습니까?〉

이 사라씨의 말에 집중하던 모두들은 역시 일제히 승려 앙카의 답변을 기다렸다. 하지만 그것에 대한 대답은 노승이 대신하였다.

〈일어나지 않은 미래를 한정짓는 것은 인간의 생각입니다. 인간의 생각은 관념에 지나지 않습니다. 그것은 그냥 실체가 없는 환상 같은 것이지요. 그러니 그것에 집착하지 마십시오, 이 사라님.〉

인간의 만들어 놓은 어떤 논리로도 이 들 성직자들이 하는 말을 증명해내거나 정답을 도출해낼 수는 없을 것이다. 속세를 버린 수행자들은 세상이 환상에 지나지 않다는 말에 쉬운 동조를 보낼 수 있을지 모르나, 모든 것을 계획하고 설계하고 실패를 두려워하고 성공을 추구하도록 오랫동안 살아온 속세 사람인 나는 그 애매함에 마음이 불안해졌다. 그런데 마치 나의 이런 상태를 알기라도 한 듯 노승은 이런 말을 이어 나갔다.

〈세상 사람들이 추구하는 미래의 안전에 대한 추구는 모두 환상입니다. 그것은 무의식의 세계에서는 이미 인지하고 있는 한정된 자신의 실체에 대한 불안과 집착에서 오는 것입니다. 하지만 오히려 우리는 이 불확실한 것들에 무한한 기쁨과 안정됨을 찾을 줄 알아야합니다. 불확실하기 때문에 그 모든 것이 가능해지는 그 무한성을 깨달아야 하지요.〉

불확실하기 때문에 무한한 가능성을 갖는다!

스님이 된 것도 아닌데 깨달음의 지혜를 마주한 듯 너무나도 커다랗게 나의 마음을 후려치는 말이었다. 그 말은 세상에 대한 두려움도, 삶에 대한 불안도 일시에 나의 것이 아닌 시간의 것으로 만들어 버리는 마술 같은 말이었다.

불확실성에 대한 불안을 빼고 나면 남는 것은 오로지 존재한다는 사실 하나였다!

아까부터 침묵을 지키며 경청만하고 있던 포탈라궁 주지인 니마 츠렌스님이 말했다.

〈그렇다면, '사자의 서'를 바이칼의 알혼섬으로부터 탁상사원으로 운반하는 일이 우리 모두가 수행해야 할 일로 정해졌습니다. 이제 이 포탈라궁의 문제에 대해 말씀해 주십시오.〉

포탈라궁 전체에서 퍼져 나오던 음산한 푸른빛의 문제임이 틀림없었다. 승려 앙카는 그것이 카르마의 에너지라 말했고 그것을 없애는 것이 우리의 첫 번째 임무임을 밝혔었다.

잠시 동안 불교적인 각론으로 내 마음에 잔잔한 파문을 던진 노승이 또다시 나를 향해 또렷한 시선을 던지며 말하기 시작했다.

〈지금부터 아주 오래된 얘기를 해야 할 것 같습니다. 그것은 민이님의 아주 먼 옛날 조상할아버지의 이야기입니다.〉

나는 드디어 먼 과거로부터의 나의 혈통에 새겨진 비밀에 한 발씩 다가가고 있었다.

〈4세기경, 민이님의 조상할아버지의 형제는 모두 4명이었습니다. 그 4명의 형제는 몽골초원을 통합하여 거대한 제국을 건설하고 4개의 지역으로 분할하여 통치하였습니다. 그중에서 한 분인 문주크 왕께서는 현재 페르시아의 땅에 해당하는 부분을 통치하였고 독실한 조로아스터 교도였으며 불을 신봉하였습니다. 그리고 그는 마법과 만트라에 능했다고 전해지며 항간에는 술사로서 알려 지기도 했습니다. 그는 당시에 남아있던, 사람을 제물로 바치는 미개한 종교를 철저히 금지시키고 인신공희의 드넓은 종교의식장소를 막대한 흙으로 덮어 버렸지요. 그는 우여곡절 끝에 제물공희에 쓰이던 하늘의 벼락으로 제련된 악마의 검을 손에 넣게 되었고 그것이 세상을 멸하는 파멸의 검임을 알아보았습니다. 이후, 드높은 '눈의 둥지'를 넘어서 '호랑이의 둥지'에서 '사자의 서'를 얻게 되었습니다. 그는 자신의 예지력에 따라 그 신물들을, 볼모로 잡혀서 로마로 떠나는 어린 아들인 아틸라와 큰아들에게 각각 나누어 하사하고는 전쟁터에서 죽음을 맞이합니다. 이후, 라인 강변에서 4명의 형제 중 옥타르가 살해당하고 뒤이어 아틸라를 아버지 대신 보살피던 루아까지 죽임을 당하자, 아틸라는 악마의 검과 '사자의 서'의 힘으로 후대의 왕위에 오르고 유럽과 로마까지 아우르는 거대한 제국을 건설하기에 이릅니다. 하지만 그 역시 적에게 독살당하고 말지요. 아틸라는 그의 셋째 아들인 이르네크를 장님으로 만들어 문주크왕의 예언에 따라 '사자의 서'를 다시 '호랑이의 둥지'로 돌려보냅니다. 이르네크는 아버지로부터 건네받은 악마의 검인 호랑이의 검을 샤키아사원에 맡기게 되었고 이렇게 하여 두 개의 힘인 악마의 검의 기운과 '사자의 서'의 기운은 서로 연결된 운명을 갖게 되었습니다. 서로를 일깨우는 존재들이 되었지요.〉

'악마의 검?'

나는 눈을 심하게 찡그렸다. 카르마의 존재들이 주었던 고통들을 상기하며 아틸라가 전쟁터마다 무자비하게 휘둘렀을 그 검의 이야기가 마치 긴 소설의 끝에 만나는 열쇠처럼 뇌리에서 강하게 종결로 치닫고 있다고 말해주는 느낌이었다.

‘이건가? 이것이었어…….’

나는 직감적으로 검에 대해 물었다.

〈그 검은 어디에 있습니까?〉

이에 답변한 것은 포탈라궁의 주지인 니마츠렌스님이었다.

〈검이 깨어났습니다.〉

〈깨어나요?〉

도무지 이해가 되는 않아 반문한 나의 질문에 이번에는 승려 앙카가 답변했다.

〈호랑이의 검인 악마의 검은 문주크왕의 예언에 따라 호랑이의 해, 호랑이의 달, 호랑이의 날, 호랑이의 시에 깨어났습니다. 오랜 세월, 우리 ‘사자의 서’의 수호자들은 호랑이의 기운이 겹쳐진 날을 계산하여 검이 깨어나기를 기다렸습니다. 검이 깨어나는 시기는 ‘사자의 서’가 되돌려져야하는 시간을 의미하며 그리고…… 우리들에겐 역사의 끝을 의미합니다.〉

그 즈음에서 이번엔 사키아사원의 주지 창바라제스님이 끼어들었다.

〈악마의 검은 고대로부터 그것에 의해 죽임을 당한 수많은 희생자들의 원혼들이 갇혀 있는 검입니다. 그 파멸의 검은 신의 뜻에 따라 때가 오면 깨어나며 그 깨어남의 원동력은 그 원혼들의 카르마의 에너지입니다. 검의 깨어남이란 이제 ‘사자의 서’와 연결된 운명공동체로서 ‘사자의 서’의 운반을 통해서 시기의 다가옴을 세상만물에게 경고하기 위함입니다.〉

〈그렇다면 제가 할 일은 무엇입니까?〉

나의 말에 창바라제스님은 쉼표를 찍듯이 고개를 숙이다가 다시 고개를 빳빳이 들어 두 눈을 천천히 한번 깜빡이고는 또박또박 말을 이었다.

〈카르마의 종결입니다. 그 모든 카르마를 잠재우는 것이 당신의 다르마입니다.〉

〈나의 다르마!?〉

〈네, 그렇습니다. 세상 어느 누구도 갖지 못한 당신만의 특별한 능력이면서……, 의무이기도 합니다.〉

'의무!?'

나는 창바라제스님의 말에 알 수없는 두려움을 본능처럼 느꼈다.

스님들은 무언가 의논하는 듯 보이더니 얼마 지나지 않아 일행들을 건물의 지하로 안내했다. 지하3층 정도로 내려가자, 긴 복도가 눈에 들어 왔으나 전구도 없이 벽에 몇 개의 촛대가 전부여서 어둑하였다. 그런데, 낮 시간이라서 밖에서는 보이지 않았던 푸르스름한 안개 같은 빛이 복도를 가로 질러 뱀이 바위를 빠져 나가듯 굽이쳐 흘러가고 있었다.

모두들 그 푸른빛이 기분 나쁘게 느껴졌는지 바싹 긴장들 하였다.

긴 복도를 통해서 여러 개의 방을 지나서 두 개의 금강지상이 양옆에 세워진 방의 문 앞에 모두들 약속이나 한 듯이 멈춰 섰다. 그것은 그 기분 나쁜 푸른빛이 그 곳에서부터 새어 나오고 있었기 때문이었다.

이윽고 승려 앙카가 커다란 쇠막대열쇠로 방의 문을 따고 천천히 열어젖히자, 모두들 방안 한 가운데 공중에 푸른빛으로 휘감겨 마치 살아있는 생물처럼 그 푸른빛을 토해내듯 살기를 뿜어내고 있는 번득이는 악마의 검이 중력을 무시하면서 도도하게 떠있는 믿을 수없는 장면을 두 눈으로 생생하게 볼 수 있었다.

모두가 검에 압도되어 말문을 못 열고 있는데 창바라제스님이 말했다.

〈민이님, 저 악마의 검을 가져 오십시오!〉

'왜 하필 나일까?'

나는 도망가고 싶었다. 그곳에 모인 모두에게 나는 아니라고, 나는 그냥 평범한 사람이라고 말하고 싶었다. 하지만 물러날 곳이 없지 않은가. 또다시 꿈과 현실의 경계에서 고통 받으며 살 수는 없었다.

그리고는 검을 쳐다보았다.

'어쩌면 저 검이 예전에 열심히 일하고 공부하는 착한 아들로, 듬직한 한 여인의 애인으로 돌려 보내줄 마술 같은 것을 부릴지 어떻게 알겠어. 맞아, 저것이 다시 과거로 모든 것을 되돌려 줄거야.'

나는 기적이 일어나기를 빌며 천천히 앞으로 다가갔다. 거의 천장가까이에 떠 있는 검을 잡기위해 나는 그 밑에 쌓여 있는 오래된 나무상자들의 상태를 발로 눌러 확인하여 보았다. 그리고는 성큼 상자위에 올라섰다.

가까이 다가서서 보는 검은 흡사 경주에서 보았던 검 같아 보였다. 황금으로 된 손잡이에 삼태극 문양과 붉은 보석으로 장식되어 있었다. 검의 날카로운 날에서 뿜어져 나오는 서슬 퍼런 신비스러운 푸른빛은 진정 악마의 검임을 드러내 보였다.

검을 가까이에 대하고 나니까 오히려 두려움이 사라졌다. 아니, 오히려 요상스럽게 미동도 없이 공중에 떡하니 떠 과학의 어떤 법칙도 통하지 않는 신령스러운 칼의 손잡이를 잡고 싶은 충동이 강하게 일어났다.

입술을 악물고 천천히 왼손을 올려 조금의 망설임도 없이 굳게 손잡이를 움켜쥐었다.

묵직하게 금붙이의 육중함을 느꼈다고 생각하는 그 순간!

서슬이 퍼럴 정도로 매끈하던 검의 표면이 물결무늬 얼룩이 생기기 시작했다. 마치 종이에 물을 쏟아서 생긴 얼룩처럼 표면에 번져나가더니 다시 얼룩진 부분의 무늬를 따라 밝은 빛이 발하기 시작했다. 그리곤 순식간에 검의 모든 내력이 마치 영화의 파노라마처럼 모두 나의 기억 속에 다운로드 되어 들어 왔다. 처참하게 검의 날에 사라져간 수많은 이의 모습이 생생하게 눈앞에 펼쳐졌다.

제물대에 묶인 처녀며 어린 남자아이와 갓난아이가 검에 반복적으로 희생당하는 무수히 많은 끔찍한 장면들과 전쟁터에서 강한 기를 발산하며 인간을 죽음으로 제압하는 강력한 검에 당하는 셀 수 없을 만큼 많은 희생의 장면들이 그 짧은 순간에 모두 한꺼번에 보였다. 아니 그냥 느껴졌다고 해야 옳을 것 같았다.

갑자기 그 모든 무시무시한 죽음의 향연이 끝나고 나의 눈에 다시 검이 들어왔을 땐, 검의 날 끝에서부터 서서히 부식되어 가기 시작하더니 검붉은 산화철들이 떨어져 내리기 시작했다. 이윽고 손잡이 부분 쪽으로 15cm가량 약간의 부식된 부분만 남기고 모두 떨어져 내렸고 그 신령스럽던 푸른빛도 사라져 버렸다.

승려 앙카가 재빨리 다가와 나에게서 검을 받아 들었다. 그는 미리 준비해온 흰색의 천으로 검을 둘둘 감쌌다.

정신을 잃었다가 깨어난 사람처럼 나는 혼미함을 느꼈고 온몸이 사우나에 있는 것처럼 후끈거렸다. 등은 샤워를 한 것처럼 땀이 배어 있었고 이마에서도 땀이 떨어졌다.

〈앙카 스님! 그때 한국의 경주에서 본 그 황금보검과 비슷합니

다!〉

검을 밀봉하고 있던 승려 앙카가 고개를 끄덕이며 답변했다.

〈네, 그렇습니다. 이미 이 황금보검은 문주크왕시대에 모두 6개가 제작되어 각각 6개의 제후국으로 보내졌고 문주크왕이 벼락에 의해서 제련된 강력한 악마검의 칼날부분을 뽑아내서 이 황금보검에 연결하여 제왕의 검으로 재탄생시킨 것이지요. 정확하게 말하자면, 현재 남아 있는 것은 이 검을 포함해 4개인 셈이 되는 것입니다.〉

일행의 첫 번째 임무가 끝났다.

이후 포탈라궁의 상서로운 푸른빛은 사라졌다. 포탈라궁 앞 광장에 오체투지를 위해 모인 순례객들은 모두 다시 조캉사원으로 옮겨 가고 있었다. 하지만 그 푸른빛의 정체에 대한 어떤 사실도 사람들에게는 발표되지 않았다. 그냥 순박한 그들은 아마도 부처님의 불성이 사악한 기운을 물리쳤다고 믿었을 것이다. 믿고 싶었을 것이다.

하지만 나는 그날 밤 잠을 이룰 수가 없었다.

다음날 다시 원탁의 방에 모인 일행들은 바이칼 알혼섬으로의 여정에 관해 이런 저런 토론과 계획을 세웠다. 하지만 이상하게도 나는 그 모든 것들에 집중을 할 수가 없었다. 험난한 여정이 될 것이 분명한 어려운 난제일 텐데도 나에게는 왠지 먼 세상의 이야기인 것 같았다. 아니 그 보다도, 답답스럽게 마음속에 풀리지 않은 하나의 의문 때문이었다.

그날 저녁, 회의가 끝나고 각자 자신들의 방으로 돌아갔으나 나는 승려 앙카의 숙소로 향했다. 방문을 열고 나를 발견하자, 승려 앙카는 약간 놀라는듯하였으나 얼른 들어오라고 말했다.

방안의 작은 의자를 옮겨 나에게 권하고 그는 침대에 걸터앉았다. 자리를 잡고 앉았으나 나는 머뭇거리다가 힘들게 말문을 텄다.

〈앙카스님……, 어제 말입니다. 검의 그 카르마의 에너지 말입니다. 카르마의 에너지는 이제 사라진 것입니까?〉

나를 응시하던 승려 앙카가 답했다.

〈카르마의 에너지는 지구상의 모든 에너지의 법칙과 다르지 않습니다. 세상의 에너지는 사라지지 않습니다. 다만 전환되는 것이지요. 이것은 어쩌면 진리에 가깝습니다.〉

〈전환된다구요?〉

〈네, 세상의 모든 에너지들은 에너지 보존의 법칙을 가지고 있습니다. 하지만 어떤 에너지가 다른 것으로 전환되려면 반드시 그만한 댓가를 치르게 되지요. 예를 들어, 물이 하늘의 공기 중에 존재하려면 그 에너지 이동에는 열이라는 댓가가 필요하지요. 또 비행기가 날기 위해서는 돈과 연료라는 댓가를 치러야만 가능해 지는 것입니다. 이렇듯 에너지는 어떤 댓가를 치러야 이동을 일으킬 수 있습니다. 그러니깐 자연적인 에너지의 이동을 인간이 인위적으로 바꿀 때에도 반드시 그 댓가를 내어 주어야합니다. 그것이 바로 카르마입니다. 만약에 인공이 가미가 되지 않다면 자연적인 상태에서 3년에서 5년을 생존하게 되는 개미를 밟아 죽인다면 원인제공자가 응당 그것에 대한 댓가를 치르게 되는 것입니다. 그래서 우리 승려들은 카르마를 덜 쌓기 위해 아무도 없는 곳에서 채식을 하며 살거나 은둔을 하게 되는 것이지요.〉

〈그렇다면, 그 카르마의 존재들은, 그 카르마의 에너지는 무엇으로 전환된 것입니까?〉

나의 다그치는 듯 한 질문에 승려 앙카는 대답을 하지 못하고 한참 생각을 정리하였다. 그리고 그는 청천벽력 같은 말을 하였다.

〈사실……, 어제 민이님은 악마의 검에 실려 있던 모든 원혼들의 봉인을 풀어 준 것입니다. 그것은 카르마의 에너지를 없앤 것이 아닙니다.〉

이게 무슨 소린가? 카르마의 종결이 아니다?

〈그게 무슨 소리입니까!? 카르마의 종결이 아니란 말입니까!? 그 원혼들은 모두 어디로 간 것입니까!?〉

충격을 받은 나에게 승려 앙카는 마치 악마처럼 얼굴을 굳히고 말했다.

〈풀려진 카르마의 에너지의 존재들은 이제 다가올 거대한 전쟁의 현장으로 갔습니다. 그들은 다가올 미국의 폭동에서의 대량 살상의 에너지로 쓰이며 유럽의 여러 나라간의 충돌로 인한 세계대전에 핵폭탄을 날리는 에너지로 쓰일 것입니다.〉

〈뭐··· 뭐라구요!?〉

나는 무슨 짓을 한 것인가?

카르마의 에너지의 고삐를 풀어 전쟁을 불러오는 일을 한 것이 아닌가? 나는 걷잡을 수 없는 분노를 느꼈다.

〈왜 애초에 그런 말을 해주지 않은 것입니까!? 그것이 대량 살상의 에너지로 쓰일 거라면 막아야 하지 않았습니까!?〉

나는 거의 울부짖듯이 소리 질렀다.

〈그것은 이미 정해져 있는 일입니다. 그것은 인간이 정하는 일이 아니며 신들의 계획입니다.〉

나는 승려 앙카의 냉혈한 같은 말에 더욱 분노하여 비꼬듯 말했다.

〈세상 사람들이 어떻게 죽든 대량살상이 되든 말든 당신들은 절에서 은둔이나 하며 개미나 이리저리 피해 다니며 살겠다는 것입니까!? 그것이 인류를 위한 일입니까!? 뭐라고 신의 뜻! 웃기는 소리하지 마쇼!〉

나는 거의 이성을 잃을 정도로 화가 났다. 도대체 자신이 이 일에 왜 개입했는지 그 자체부터도 저주스러울 지경이었다.

〈…….〉

나의 이런 울부짖음에 승려 앙카는 침묵했다.

〈다시 그 카르마의 에너지를 검속에 집어넣게 하여 주시요!〉

〈카르마의 에너지는 다시 검속으로 들어 갈 수 없습니다. 칼은 수명을 다했습니다. 이미 봉인이 풀린 카르마의 존재들은 다시 되돌려 질 수 없습니다.〉

〈그럼! 어쩔 것입니까!? 수많은 사람들이 희생하는 것을 두고만 보고 있을 것입니까!? 신의 이름으로 어떻게 그렇게 더러운 짓을 할 수 있습니까!?〉

〈현생에 개입하지 않으려는 것은 신의 의도도 아니며 우리가 이번 생을 사는 이유는 더더욱 아닙니다. 신은 그렇게 잔인하지 않습니다. 생명에 대한 경외심과 자연에 대한 존경, 남을 배려하는 사랑과 헌신의 마음인 인간의 율법이 부처의 율법과 다르지 않음입니다. 하지만 정해진 운명을 우리 인간은 바꿀 수 없습니다.〉

〈카르마의 종결법을 가르쳐 주십시요! 당신들 입으로 말하지 않았습니까!? 내가, 이 내가 카르마의 종결의 다르마를 타고 났다고!〉

〈카르마의 종결이 어떻게 이루어질지 우리들은 알 수 없습니다. 다만 민이님이 '사자의 서'의 운명의 운반 중에 그 방법을 자연스럽게 알게 되리라고 추측할 따름입니다. 카르마의 종결은 신의 계획과 의지에 따라서 당신의 손으로 행하도록 되어 있습니다.〉

〈그렇다면, 당신들 승려들은 어떻게 카르마를 해소합니까!? 설마

세상에서 피하여 사는 것만이 방법입니까!?〉

승려 앙카는 양손으로 이마를 움켜쥐고 고민스러운 듯 한참을 그러고 있었다. 그리고 고개를 들어 흥분해 있는 나를 향해 뚜렷하게 말했다.

〈신의 사랑을 깨닫고 그 사랑을 세상에 펼쳐 카르마를 쌓지 않고 의를 행하는 것이 저희 승려들의 카르마 해소법입니다. 하지만 가장 정확한 카르마의 종결법은 바로 고통입니다. 고통은 온갖 부정적인 카르마를 쓸어내는 빗자루 같은 것입니다. 카르마의 에너지에 힘으로 대항한다면 또 다른 카르마를 낳을 뿐입니다. 이런 자신의 카르마를 종결하려고 일부러 가시덤불위에서 수행하는 승려들도 있지요. 고통의 강도가 크면 클수록 그리고 그 장소가 파장을 일으키기에 좋을수록 카르마 종결의 효과는 크다고 할 수 있습니다.〉

〈고통이라고요?〉

〈네, 저희 승려들이 대승적인 방법으로 중생들에게 깨달음을 주어 카르마를 없애는 방법으로…… 소신공양을 합니다.〉

〈소신공양?! 그것은 어떻게 하는 것입니까?〉

〈세상 어떤 고통보다도 고통스럽게 불에 타 죽는 것입니다.〉

〈……!〉

결국, 방법은 그것인가?

마지막으로 혜원을 보았을 때, 마지막일지도 모른다는 막연한 불안감은 이토록 강력한 예감이었던 것인가?

연달은 충격과 마음의 동요로 인해서 나는 거의 실성한 사람처럼 승려 앙카에게 물었다.
〈이모든 일들이…… 신이 계획한 것입니까?〉
〈네, 하지만 그것을 인간들 어느 누구도 알 수 없습니다. 다만 인간의 계획은 신의 계획을 능가할 수는 없습니다.〉

3일간 나는 아무것도 먹을 수 없었다. 나의 두문불출로 인해서 일행들의 계획에는 차질이 생겼다. 일주일의 준비기간 뒤 운명의 운반자들과 승려 앙카와 남게이는 바이칼로 출발하기로 되어 있었으나 나로 인해서 모두들 움직일 수가 없는 상황이었다.

하지만 나는 나의 운명이 죽음을 선택하는 것이라는 것을 슬프게도 너무나도 정확히 알 수가 있었다. 마치 신기처럼 느껴지는 이 운명에 대해 나는 돌아설 곳이 없음을 알았다. 하지만 인간이기에 나는 이 운명의 잔을 선뜻 마신다는 것이 두렵고 무서웠다.

노크소리와 함께 사키아사원의 주지 창바라제스님과 노승, 영어통역스님 이렇게 세분이 나의 방으로 들어 왔다. 며칠째 침대에 누워 멍한 상태를 지속하던 나는 그들을 발견하고 몸을 일으켰다.
그들은 나의 침대로 다가왔고 노승이 나의 침대 곁에 걸터앉았다. 창바라제스님은 노승의 뒤에 선 채 나를 내려다보았다.
노승은 찬찬히 나의 얼굴을 살피며 말했다.
〈민이님, 우리의 삶이란 인연에 따라 모였다가 흩어지는 에너지에 불과합니다. 우리들은 이 삶과 이 육신에 잠시 머무르는 여행자들일 뿐입니다. 그래서 우리 티벳에서는 우리의 육신을 '뤼'라고 부릅니다. 이것의 뜻은 '당신이 두고 떠나 온 것'입니다. 결국 우리에게 중요한 것은 우리의 영혼인 내면의 빛인 불성, 그것입니다.〉

〈…….〉

〈호랑이의 기운은 곧 불의 기운을 뜻하는 것입니다. 검의 기운은 호랑이의 해, 호랑이의 달, 호랑이의 날, 호랑이의 시에 번개로 만들어지고 또 그 시간에 깨어남으로써 불의 기운만으로 움직여지는 검이었지요. 부탄의 '호랑이의 둥지'인 탁상사원은 역시 호랑이의 기운으로 만들어져 호랑이의 해, 호랑의 달, 호랑이의 날, 호랑이의 시에는 항상 화염에 휩싸였답니다. 이렇게 드센 불의 기운을 타고난 것은 모두 지금 민이님으로 귀결되고 있습니다. 조로아스터교도로서 불을 숭상했던 문주크왕은 매일 5번을 불앞에서 절을 하며 불의 기운을 그의 후대의 제왕의 기운으로 받아들이고 그 종결의 의무 또한 받아들였습니다.〉

〈…….〉

〈이 불의 기운은 이제 세상을 불로 화할 것입니다.〉

〈나의 다르마……, 받아들이겠습니다.〉

생각했던 것보다 쉽고 의연했다. 오히려 복잡한 마음속이 텅 빈 것 마냥 명쾌해졌다. 이것이 나의 다르마가 맞긴 맞는가 보다. 정신이 어느 때보다도 또렷한 상태로 나는 나의 결정을 밝혔다.

미국은 현재 무정부 상태라고 했다. 정치, 경제가 모두 파탄 난 미국은 폭풍우 속 돛단배처럼 위태로웠다. 민간인들까지 곳곳에서 무장을 하고는 옛 정부의 중무기들까지 찬탈해가고 누가 누구의 적인지 분명하지 않은 채 서로 총질을 하는 시가전이 미국 전역에서 매일 일어나고 있었다. 거대한 분노의 용광로처럼 끓어오르기 일보 직전의 상태에 빠져 있었다.

그런데 유일하게 미국 내에서 무기들로부터 그나마 안전한 곳이 두 곳이라는데 바로 하와이와 세도나 지역이었다.

저들이 말하는 신의 계획에 대해서 나는 믿지 않았다. 단지 죽음을 결정하는 데는 이라크에서 만난 미국 병사 네이든의 죽음과 집안 사촌들의 죽음, 그리고 저들이 말하는 내 혈통 속에 있는 카르마의 존재들이 나를 찾아와 괴롭힐 수밖에 없었던 그 모든 죗값의 종지부를 위한 나 스스로의 의지가 전부라고 생각했었다.

하지만 신은 계획한 걸일까?

승려 앙카에 따르면, 소신공양의 에너지를 지구상에 가장 잘 파동으로 전해줄 장소는 바로 미국의 이 세도나 지역이라고 했다. 소위 지구상의 볼텍스 지역이라는 곳으로 지구의 심장과 같이 지구가 자기장을 만들어 방출하는 곳이라고 했다. 그런데 미국 전역이 살육의 기운이 감돌고 있는 이 판국에 하필이면 이곳만이 평화로운 것은 그것 때문일까?

그리고 또 다행스럽게도 이곳의 우두머리는 '마고가든'이라는 명상 센터 농장을 운영하는 세계 영적 스승 중에 한 분이라는데 그는 미국이 무정부상태가 되고 나서 세도나 지역 주민들의 투표에 의해서 선출되었다고 했다.

놀랍게도 그는 한국인이었다.

그는 오래전 한국에 단학을 일으켜 명상 붐을 일으킨 유명한 분이었다. 어쨌든 그 분이 그곳에서 소신공양을 돕기로 하였고 곧이어 나는 비행기 편으로 하와이로 날아가 다시 내전 상태인 미국에서 마치 섬과 같은 평화 지역, 세도나 행의 비행기에 몸을 실었다. 사키아 사원의 주지 창바라제스님과 노승 그리고 3명의 티벳 승려를 포함해 5인이 나와 동행했다.

공항에서 나는 긴 백발머리를 질근 묶은 세도나의 우두머리를 만났다. 그는 흰색의 개량 한복을 입었는데 한국 참선의 대가답게 정말로 살아 있는 신선을 만난 것처럼 신성하고 고귀함을 풍기는 사람이었다.

2명의 남자 신도를 대동한 그는 4마리의 말이 끄는 포장마차를 타고 왔다. 미국의 상황이 좋지 않아 기름을 사용해야하는 자동차는 유사시를 위해서 사용을 자제하고 있다고 했다.

또한 모레에 있을 나의 소신공양을 전 세계에 알리고 최대한의 파급효과를 위해서 그는 인터넷 생중계와 세계 유명 방송사를 초청한 상태였다.

마치 서부영화에서나 나올 말이 끄는 마차가 서부 영화 같은 풍경의 붉은 사막의 대지 위를 달렸다.

느낌이 참으로 이상한 곳이었다. 불처럼 타오르는 붉은 땅이 마치 널 기다렸다고 말해주는 것 같은 이 묘한 느낌을 어떻게 설명할 수가 있을까? 그 기다림은 하루, 이틀의 것이 아니라 아주 먼 옛날부터였다고 말해주고 있었다.

사진에서 보던 그랜드 캐년 같은 방대한 느낌이 아니라 물의 침식 작용으로 생겼다는 붉은 사막에 우뚝 우뚝 솟아 있는 계단형의 언덕들은 마치 오래전 어린 시절의 친구들이 오랜 세월동안 너를 기다렸노라고 맞이해 주는 것 같은 그런 느낌이 들어 설레는 듯, 오히려 기쁘고 벅차하는 나의 심리 상태를 나또한 분석할 수 없었다.

세도나의 우두머리가 마차에 앉아 묘한 기분을 주체하지 못하고 있는 나에게 말했다.

〈이 불의 땅은 오래 동안 당신을 기다렸나 봅니다. 오늘 따라 유난스레 푸른 하늘과 유난스럽게 더 붉은 사막이 묘하게 파동치고

있는 것이 느껴집니다.〉

그의 말에 나는 수줍은 듯 웃었다.

맙소사! 모레면 잿더미가 될 놈이 웃는다?

세도나의 우두머리 역시 신선과 같은 너그러운 웃음을 지어 보였다. 도무지 지금의 나의 마음을 나는 알 수 없었다.

마치 나는 고향에 돌아온 기분이었다.

〈요즘 명상에서 자주 같은 환상을 보았습니다. 한 마리의 거대한 불새가 이 세도나의 창공을 날고 있는 것입니다. 나는 이곳이 세상의 열쇠라는 것을 처음부터 알아본 사람이지만 제가 생각한 것보다 더 큰 의미가 있다는 것을 최근에 느낍니다. 그리고 때가 왔다는 것을 느낀 것도 최근의 일입니다. 이제야 이 사람이 이곳을 정착하도록 한 모든 정령들의 뜻을 깨닫게 되었습니다.〉

불새!?

불새라는 단어를 들을 때 이런 기분이 든 적이 있었다. 한없이 상승하여 자유로워지는 기분! 아주 어릴 적에 처음 불새라는 말을 들었을 때였던 것 같다. 그것은 아버지의 고향인 태양을 향해 날아가는 불새, 그 기분과의 동일시였다. 나는 지금 그 오래전의 기분을 다시 느끼고 있었다.

그리고 세도나의 우두머리는 의미심장한 예언에 대해 말해 주었다.

〈'불새가 날고 바퀴달린 말들이 질주하는 날, 뵈(티벳)민족이 전 세계에 흩어지고 다르마가 홍인(紅人;인디언)의 대륙에 이르리라'

이 말은 클로드V.르방송의 '달라이라마 평전'이라는 책에서 14대 달라이라마의 미국 방문 때 아메리칸인디언과 있었던 일화를 소개

하는 내용 중에 옛 티벳스승의 예언입니다. 당시에는 아무런 감정 없이 보았던 책의 내용이 이렇게 현실로 다가 올 줄은 몰랐습니다.〉

신이 계획하는 것일까?!

정말 나의 운명은 세상이 생겨날 때부터 정해진 것일까?

나는 살아있는 신선 같은 세도나의 우두머리에게 물었다.

〈나의 죽음이 의미하는 것은 무엇입니까?〉

세도나의 우두머리는 부드러운 눈길을 내게 보내며 대답했다.

〈당신의 죽음의 파동은 지구의 심장인 이곳에서부터 서서히 지구 전체로 퍼져 나갈 것입니다. 당신의 성스러운 다르마인 카르마의 종결이 이루어질 것이라고 확신합니다. 세상 사람들은 불새가 세상을 불로 파멸시킬 거라고 말합니다. 하지만 불새는 곧 새로운 생명의 탄생을 가져오는 신세계의 견인차입니다. 불새는 모든 빛의 영혼들이 가야 할 바다위에 등대와 같은 역할을 할 것입니다.〉

〈등대요?〉

〈네, 어두운 길에서 없어서는 안 될 안내자이지요.〉

〈어디로 가는 길입니까?〉

〈그것은 신만이 아시겠지요.〉

이것으로 되었다.

나의 죽음이 그런 무게를 가진 일이라면 내 인생에 스스로 선택한 죽음에 대한 명분을 세울 수 있을 것이다.

마차로 꽤 먼 거리를 갔다고 생각했었다. 마고가든이라고 불리는 명상센터는 정말 사막 한 가운데 신기루처럼 자리하고 있었다. 옛 주인의 예언에 따라 동방에서 온 사람에 의해 그곳은 사막 한 가운데 낙원 같은 쉼터로 자리하고 있었다.

세도나의 우두머리의 설명을 듣고 보니 한국의 개국신화인 단군 이전의 신화로 대지의 어머니인 마고여신의 이름을 따서 지었다고 한다.

그 즈음에서 국외 방송국의 헬기 한 대가 도착하였다. 조용한 사막이 들썩이고 있었다.

캐나다 방송국에서 온 기자가 헬기에서 내리자마자 마고가든의 전경을 카메라에 담고는 곧이어 멘트를 땄다.

시간이 갈수록 그 일대는 시끌해져 갔다. 여러 방송국들이 속속 도착하고 있었다. 하지만 나의 마음은 점점 더 차분히 가라앉고 있었다. 그 날 전까지 노승과 창바라제스님을 위시하여 티벳의 승려들은 나의 곁에서 내가 조용히 명상에 잠길 수 있도록 도와주었다. 지구의 볼텍스지역이라서 인지 몰라도 나는 그곳에서 나의 인생의 시작과 끝의 모든 부분을 떠올릴 수 있었고 그것들 모두를 이제야 비로소 내 인생으로 받아들일 수 있었다. 이상스럽게도 나는 그 이후 머릿속을 마치 백지상태로 만든 것처럼 모두 비워낼 수 있었다.

드디어 그 날은 밝아 왔다. 세도나의 볼텍스 중에서도 전생과 과거의 정화력이 뛰어난 곳으로 알려진 벨락의 꼭대기에서 행사가 진행되었다.

안전상의 이유로 방송인들은 벨락의 아래에서 망원렌즈로 줌인하여 나의 모습을 잡을 수밖에 없었다.

아침 일찍 목욕재계를 마친 나는 흰색의 개량한복으로 갈아입었다. 내가 벨락에 오르기 전에 노승께서는 나에게 축복의 만트라를 읊었다.

그 이후 세도나의 우두머리와 5명의 장정들이 함께 벨락의 꼭대기에 올랐다. 장정들이 말린 향나무를 깔았고 그 위에 흰색의 두툼한 방석을 놓았다. 나는 조용히 그 방석위에 앉아서 반가부좌를 틀고 두 손을 양 무릎에 가지런히 놓고 고요히 앉아 있었다.
곧이어 한명의 장정이 들고 왔던 플라스틱 통의 석유를 향나무 가지 위에 뿌렸다. 향나무의 향과 석유의 향이 묘하게 어우러졌다.
그리고 세도나의 우두머리가 금빛이 나는 라이터를 나에게 말없이 건네었다. 그 후에는 그들도 모두 벨락의 꼭대기에서 사라졌다.
눈앞에는 단지 끝없이 펼쳐진 붉은 사막만이 나의 눈에 들어 왔다. 바람이 불어와 나의 몸을 어루만지며 지나갔다. 그리고 나는 하늘 중간에 떠오른 빛나는 태양을 보았다. 눈을 가늘게 뜨고 나는 말했다.
〈이제 나를 데려갈 시간이야.〉
손아귀에 쥐고 있던 라이터를 켰고 재빨리 향나무위에 던졌다. 불은 순식간에 향나무위로 번졌고 모든 것을 버리고 조용히 앉아 그저 붉은 사막을 내려다보고 있는 나에게 덮쳐와 순식간에 머리털까지 번졌다.
고통으로 나는 소리를 질렀지만 그 자리 그대로 앉아 있었다. 나는 극심한 고통 속에서 오열하는 모든 인간의 군상들을 환상처럼 보았다.
그리고 더 이상 정신을 잡고 있을 수 없다고 생각했을 때 이글거리는 불속에서 한 사람을 볼 수 있었다. 흰색의 터번을 쓰고 검은 콧수염과 턱수염을 길게 기른 알 수없는 사내가 나의 고통스러워하는 모습을 발견하고 놀라는 모습이었다. 정신을 놓을 것 같은 고통 속에서 나는 그를 끝까지 응시하였다.
이윽고 그는 두 팔을 앞으로 벌리고 눈물을 흘리며 알 수없는 언어로 말했다. 하지만 나는 정확하게 그가 무슨 말을 하는지 알 수 있었다. 그리고 그가 누구인지도 알 수가 있었다.

〈위대한 자손이여! 마지막 희생물이여! 나의 아후라 마즈다!〉
그는 문주크왕이었다.

나는 고통 속에서 눈을 감았다. 그리고는 감은 눈앞이 백색의 세상으로 바뀌었다. 내가 그 백색의 세상을 살피자 그 백색의 세상에 오색의 빛들이 마치 프리즘처럼 빛나고 있었다. 이곳을 보아도 저곳을 보아도 세상은 흔들리는 오색의 빛들뿐이었다.
그리고 나는 마치 공기가 된 듯이 가볍게 공기 중으로 흩날려 가기 시작했다. 그것은 아주 오래전부터 알고 있던 익숙한 느낌이었고 봉인된 물병에라도 갇혔다가 나온 듯이 상쾌하고 가볍고 자유로웠다.

어디선가 인디언여인의 노랫소리가 들린다.

'우리는 노래하는 별
별빛은 우리의 노래일세,
우리는 하늘을 나는 불새
그 빛은 우리의 목소리일세,
우리는 길을 만들고
영혼은 그 길을 지난다네.'

(조앤 쉐난도의 '예언의 노래'중에서)

2. 세 가지 보물

이 일에 동참하기로 결정을 내렸을 때부터 내 의지와는 상관없이 나는 커다란 실체를 알 수없는 힘에 끌려 다니고 있다는 느낌을 지울 수 없었다. 그것은 아마도 나만이 아니라 부엉이 선배나 이지스도 마찬가지였을 거라고 생각한다.

처음에는 입만 열면 신의 계획과 의지를 운운하는 타국 승려들의 이야기는 설명할 수 없는 끌림만 있을 뿐, 사실 무신론자인 나에게는 절실함이나 공감이 결여되어 있었다.

정확히 말하자면, 승려들의 말을 믿지 않았다는 게 맞을 것이다.

도대체,
신의 계획이라니?
세상은 내 의지로 개척해 가는 것이 아닌가?
아님 누군가의 의지에 의해서 움직여지거나.
그러니까 저리들 열심히 쟁취하면서 욕심 부리면서 사는 거잖아.

하지만,
증권사 동료의 자살사건으로 인해 나는, 돈을 목표로 돈에 고개를 조아리고 영혼까지 팔아가며 숭배하고 진실한 가치들과 맞바꿔 상류사회의 현란함을 좇아서 사는 괴물이 내 본 모습임을 보았었다.

그리고 그것은 내가 계획한 삶이 아니라 거대한 자본이 계획한 삶이였음에 분노했었다.

무신론자라는 탈을 쓰고 신의 뜻을 믿는 자들에게 경멸에 가까운 비판을 가하고 정작 나라는 인간은 돈이라는 저급한 신을 숭상하며 기꺼이 생물이기를 포기한 채 돈 벌어들이는 로봇의 삶을 살았었다.

진정한 지혜가 삶에서 최고의 가치를 발견하는 것이라면, 과연 인간의 삶에서 최고의 가치를 두어야할 것은 무엇일까?

오대산에서 나는 물질과 영혼이 만나는 그 교차점쯤에서 서 있었다.

삶의 한 가운데서 도대체 진리는 무엇이냐고 비명을 지르고 있었다.

익숙한 로봇의 삶이라는 울타리를 넘어선 존재는 그 이후 만나는 모든 것들이 낯설게 다가 와서 마치 아기의 첫걸음처럼 위태로웠다.

무엇을 믿어야 할 지 의심스럽기만 하였다.

시간이 지날수록, 나는 신의 계획을 믿을 수밖에 없었다.

라싸에 도착한 이후부터 눈앞에서 벌어지는 비논리적인 사건들을 맞닥뜨리면서 어쩌면 그들이 말하는 그 신의 계획의 소용돌이에 빠진 건지도 모르겠다는 생각이 들기 시작했다.

라싸의 밤하늘로 포탈라궁을 휘감아 올라가던 그 섬뜩한 카르마의 기운과 마주했을 때, 나는 이 운명의 운반에 어쩌면 나의 운명을 걸어야 할지도 모른다고 직감했었다.

그리고 포탈라궁 지하 깊숙한 곳에서 공중에 뜬 채로 섬뜩한 기운을 뿜어내던 악마의 검을 만났을 때는 이 일이 어쩌면 나 개인적인 경계를 넘어서는 위대하고도 막중한 일 일수 있다는 것을 깨달았고 그것이 이번 생의 내 임무이며 그들이 말하는 소위 다르마일 수도 있다고 생각했다.

마치 계획이라도 한 것처럼,

우리 3인방이 광덕사행을 결심한 그 시작서부터 타국의 승려들과 이 사라라는 비구승과의 만남, 운명의 운반에 우리들의 운명을 맡기기로 결정하고 티벳으로의 여정을 감행하기까지, 그 모두가 잘 짜여진 한편의 시나리오였다.

정말로 계획된 거라면,

왜, 무엇 때문에?

국제 정세가 어두워지면서 유럽에서는 전쟁의 기운을 피할 방도가 없었고 미국은 무정부상태로 내전의 골이 깊어 가고 있었다.

중국은 사실상 분리 독립한 5개의 연방 모두가 심각한 식량난으로 허덕이고 있었고 일본은 국토 이전 문제로 어려움에 직면해 있는, 한치 앞도 볼 수없는 위태로운 국제 상황에서 역설적으로 세계의 언론 매스컴들이 김 민의 공개 소신공양의 취재에 이상하게도 열을 올리기 시작했다.

세상 사람들은 멱살을 잡고 싸울 기세의 험악한 상황에서, 동양의 한 청년이 세계평화를 위해서 공개 소신공양을 할 것이라는 보도를 연일 대서특필하며 관심의 초점을 맞추고 있었다.

'어? 이거 봐라?'

뭐 그런 분위기.

그것은 이제 서로를 죽이고 죽이는 대량 살상의 만연한 기운가운데에 인간의 생명이 파리의 목숨과 같은 나락에 떨어질 상황에서 하찮은 생명 하나가 '내가 너희 모두를 위해 죽을 것이니 나를 보아라!'라고 외치는 꼴이었다.

김 민의 세계평화를 위한 공개 소신공양에 대해 사람들의 여론이 갈리고 있었다. 한 쪽에서는 부정적인 비판과 미친놈이라고 빈정거리며 냉소적인 반응이었고 한 쪽에서는 동정하거나 신성시 여기는 쪽이었다. 또 일부는 별 관심 없는 중도파들이었다.

그러나 안방의 TV모니터로 김 민이 세도나의 언덕에서 불길에 휩싸인 채 죽음을 맞이하는 생생한 장면이 방영되고 나서는 들끓던 여론들이 거짓말처럼 사라졌다.

그의 죽음이후에 어느 누구도 그의 소신공양에 대해 말하는 이가 없었다. 심지어 언론조차도 전혀 그 이후 사람들의 반응이나 결과에 대해 왈가발가 하지 않았다. 사람들은 마치 그것에 관한한 침묵하기로 약속이나 한 듯 조용했다.

전해진 바로는, 그의 소신공양의 불빛이 밤새 꺼지지 않고 계속되었고 그 불빛이 너무나 환해서 그 밤에 애리조나 사막 밖에서까지 감지할 수 있을 정도로 환하게 방광했다가 동트기 일보 직전에 모두 사그라졌다고 한다.

사람들은 그것에 대해서 감히 평가할 수 없었던 거였다.

사람들은 그의 죽음의 장면으로 인한 마음의 충격을 감추고 싶어 했다.

하지만 기이하게도 그 일 이후에 세계적으로 범죄에 대한 뉴스가 극감하였다. 사람들은 서로 말은 하지 않았지만 어깨에서 갑자기 힘의 무게를 덜은 듯 한 느낌을 가졌다. 그리고 자신들도 알 수 없는 이상한 동일한 감정을 느끼게 되었는데 그것은 마음 깊숙한 곳에 접어놓은 작은 책을 펼친 듯 한, 의무감이지만 안도감 같은 묘한 것이었다.

이 표현은 어느 여류작가가 SNS에서 표현한 것이 사람들의 공감을 얻은 것으로 대다수의 사람들이 그녀의 느낌이 자신들과 똑같다는 반응을 나타내었다.

그 이후, '나는 인류를 위해서 무엇을 할 수 있나?'라는 토론 주제로 각계각층의 인사를 초청해 토론하는 프로그램들이 세계적으로 유행하였다.

한편 우리 3인방도 심리적 동요와 충격을 받은 것은 마찬가지였다.

연일 부엉이 선배의 방에 모여 혼란을 거듭하는 자신들의 정체성에 대해 이야기를 나누었다.

막내인 이지스는 자신이 왜 이 운명의 운반자에 끼게 되었는지 가장 강한 의구심을 나타내었다.

〈형들은, 이 일에 민이처럼 목숨을 바치는 것에 대해 어떻게 생각해? 그리고 그 신의 계획이라는 운명론적 철학을 사실 나는 받아들이기 힘들어.〉

나는 이지스의 부정적인 반응에, 배경설명 없이 이 일에 그를 끌어 들인 것에 미안함을 느꼈다. 하지만 이지스와는 달리 부엉이 선배는 우리 세 명 모두 이 일에 이미 운명적으로 결부되어 있다는 강한 믿음을 가지고 있었다.

사실 그 사이에 끼어버린 나는 이런 의견의 충돌이 있을 때마다 난감했다.

제일 큰 형인 부엉이 선배가 막내의 말에 반론을 제시했다.
〈이지스, 니가 쇼펜하우어를 좋아한다는 말이 무색해진다. 쇼펜하우어가 말했지, 인간의 모든 감정들이 발현된 삶의 형태 속에서 이성보다 앞선 원초적인 것이 인간의 삶을 이끈다고 말이야. 쇼펜하우어는 이 인간의 삶을 지배하는 것은 맹목적 충동, 즉 의식적 의지 보다는 무의식적 의지라고 했지. 인간이 의식적 의지로 선택하는 것은 10%에 지나지 않고 나머지 90%는 무의식적 정보와 의지에 의해 좌지우지 된다는 거야. 그래서 결국 쇼펜하우어의 철학은 아이러니하게도 종교적 운명론과 일치하게 되는 결과를 낳았지.〉
부엉이 선배의 말에 이지스의 목소리는 한 톤이 더 높아졌다.
〈잘 알지, 쇼펜하우어! 채워지지 않는 욕심 아니면 권태가 난무하는 맹목적인 무의식적 충동으로 고통 받는 인간이 그 욕심과 충동과 탐욕을 부정하고 초월하여 자신의 행복이 아니라 타인의 행복을 위한 삶을 지향하는 것, 너무나 잘 알지! 쇼펜하우어! 헌데 말이야, 형! 그건 깨달음을 얻은 성인들이나 할 수 있는 초인적인 삶이라고! 그런 초인적 삶을 얻으려는 것은 어때? 그것도 인간의 욕심과 충동이 아닐까?! 깨달음에의 충동! 욕심! 여기에서 나는 쇼펜하우어의 이론적 지지대가 무너졌다고 보지!〉
두 사람이 팽팽히 맞서는 긴장된 분위기에서 나는 어느 편에도 들 수가 없어 고개만 떨구고 있었다.
이윽고 격앙된 이지스를 바라보며 부엉이 선배가 말했다.
〈일행 중 한 사람이 희생한 이 시점에서 철학사상 운운하는 것은 지적허영심일 수 있겠구나. 하지만 인간의 이성이 진리를 측정하는 도구가 될 수 없음은 너도 동의할 거라 믿는다.〉
김 민의 죽음으로 인해 우리 세 사람의 심적 혼란과 갈등은 개개인의 인생을 바라보는 철학적인 통념까지 요구하고 있었다.

어떤 의미에서 보면, 운명의 운반자들에게나 일반 사람들에게나 김 민의 죽음은 철학적 혁명을 요구하고 있었다. 그것은 물질만능 기반의 현대 사회에서는 이계의 것처럼 이질적이고 부자연스러우면서 거북스러운 경험이었다.

사람들은 희생의 불꽃 속에서 보았던 공유된 죄의식과 공유된 영혼의 울림에 대한 해명을 필요로 하고 있었고 물질만능기반의 현대 도시에 영혼충만기반의 표석을 어디에 둘 지 헤매고 있었다.

2010년 6월 15일

원정대는 당초의 계획보다 몇 주를 지연하고 있었다.

김 민의 공개 소신공양이 있고 나서 앙카스님은 단식으로 인해 몸이 쇠약해져 계획이 기약 없이 늦춰지고 있었다.

그는 불가에 입문한 이래로 자신에게 주어진 다르마에 충실히 임했고 침착함을 잃지 않는 성품과 높은 불성은 탁상사원의 대승들에게도 신임을 얻은 바 있었지만 지금 그는 자신의 신념을 놓고 있었다. 오랜 세월 그가 닦아온 불가의 가르침에도 불구하고 그는 세속의 사람처럼 깊은 슬픔에 잠겨있는 듯했고 드디어는 탁상사원의 대승들에게 임무를 수행할 수 없노라는 서신까지 보냈었다.

하지만 그의 말 한마디에 운명의 운반을 어렵게 결정해준 운명의 운반자들 때문에 그는 숙고하고 또 숙고한 끝에 나약한 인간 앙카의 벽을 넘어야만 함을 알았다. 그리고 이 자체도 하나의 고행임을 받아 들였다.

그는 그의 인생에서 가장 고통스러운 순간을 보내고 있었다.

원정대는 다시 공식적인 모임을 가졌다.
며칠 새에 앙카스님의 얼굴은 많이 말라 있었고 분위기는 사뭇 무겁기만 하였다. 이런 분위기 속에서 제일 먼저 말을 꺼낸 것은 이 사라씨였다.
〈김 민씨의 죽음으로 이 세상의 카르마는 종결된 것입니까?〉
사실 그녀의 질문은 그 자리에 모인 모든 이들의 의문이기도 하리라. 그들이 신봉하는 신의 계획에 고귀한 목숨을 희생시켰다. 그것으로 승려인 앙카조차도 이 임무에 대한 깊은 고뇌를 가졌던 부분이 아니던가?
한참동안 아무도 그녀의 질문에 대답이 없자, 세도나에서 김 민의 공개 소신공양에 참관하고 돌아온 사키아의 고승이 말했다.
〈이 사라님, 사람들이 자신의 모습을 보기 위해서는 거울을 들여다보아야 합니다. 아무리 애를 쓰고 제 아무리 능력이 출중한 사람이라 할지라도 거울과 같은 매개체가 없이는 어떤 방법을 써도 자신의 모습을 볼 수 없는 것입니다. 우리 인간들의 영혼도 마찬가지입니다. 인간사가 쉽지 않고 풀리지 않아 돌아 돌아 험난한 일을 겪고 힘든 상대를 만나 고생을 하는 것은 그것을 통해 자신의 영혼을 볼 수 있기 때문입니다. 세상 사람들은 김 민씨의 죽음을 통해 자신의 영혼을 마주하게 되었습니다. 그것이 서로 분리되지 않음을 깨닫는 순간 세상의 카르마는 종결될 것입니다. 이 일은 아주 천천히 점점 진행될 것입니다. 이제 때가 다가오고 있음입니다.〉
이 사라씨는 깊고 검은 눈동자를 반짝이며 반문했다.
〈때요? 그 때의 다가옴이란 무엇입니까?〉
〈끝이면서 시작인 때입니다. 세상만물들이 그것을 기다려 왔고 우주가 기다려온 고통스러운 축제입니다. 그리고 세상에는 아름다운 봄이 다시 찾아 올 테이지요. 살을 찢어내야 싹이 밖으로 나올 수 있는 잔인한 4월이 다시 올 것입니다. 인간의 일과 우주의 일이 다르지 않음입니다.〉

그 말을 남긴 채 고승은 다른 질문을 받지 않겠다는 의사를 분명히 하듯 사키아의 창바라제스님의 부축을 받으며 회의실 밖으로 나가 버렸다.

끝이면서 시작?

고통스러운 축제?

이 어울리지 않는 단어들의 조합에 잠시 나는 멍해졌다. 도대체 우리가 하려는 일의 결과에는 무엇이 기다린단 말인가.

도대체 신은 무엇을 계획한 것인가.

애초에 우리 3인방과 이 사라씨, 앙카스님과 남게이스님 그리고 유사시를 위하여 젊은 승려 3명이 합류해 모두 9인의 원정단이 꾸려졌으나 젊은 승려 3명은 합류하지 않기로 계획이 수정되었다. 그것은 또다시 어떤 희생을 치르더라도 최초 원정단의 인원만이 되어야 할 것이라는 앙카스님의 의지에 따른 것으로 모두가 이에 찬성하였다.

우리 모두는 앞으로 겪게 될 일들에 대한 고뇌와 걱정을 내려놓고 불확실성의 무한한 가능성에 운명을 내맡겼다. 그리고 김 민처럼 운명에 부딪혀 만나게 될 그 어떤 것도 받아들일 마음의 준비를 하였다.

이렇게 원정대의 보이지 않는 결연함이 그 결속을 다지고 있었다.

우리들 모두는 실상 죽을 각오를 하였다.

비행기로 이르크츠크에 도착한 이후, 입국심사에서부터 고생이 시작되었다. 꽤 이름난 도시인데 반해 입국심사서 자체가 러시아어로밖에 되어 있지 않았고 공항의 심사국 사람은 영어로 작성불가능하다는 말만 반복했다.

다행히 부엉이 선배가 가지고 간 낡은 여행회화소책자 덕에 겨우 입국심사서를 작성하고 통과할 수 있었다.

난제는 그것만이 아니었다. 이르크츠크 시 자체가 6월서부터는 바이칼호수의 얼음이 완전히 녹으므로 여름 성수기에 접어든다는 것을 감안하지 못한 탓에 우리 일행은 묵을 호텔을 구할 수가 없었다. 국내, 외의 시끄러운 정치, 경제 상황과는 상관없다는 듯, 시 전체는 유럽과 아시아에서 대륙 간 철도로, 비행기로 바이칼을 관광하기 위해서 들르는 경유도시로서 다양한 관광객들이 뒤섞여 북적이고 있었다.

원정대 일행은 호텔에서 안락하게 쉬는 것을 포기하고 중고차를 파는 중개매장에서 국방색 미니밴을 구입하였다. 그리고 며칠 동안 먹을 빵과 야채, 캠핑을 할 수 있는 중고 텐트와 장비, 중고 냄비 등 조리 기구를 시장에서 힘들지 않게 구입할 수 있었다.

초행인 시베리아 평원을 지도와 이정표에 의지해, 때때로 지나가는 차들에게 물어 보기도 하여 밤새 차를 몰아 이동하였다.

우리 3인방이 번갈아 운전해서 250km의 비포장 길을 6시간 이상 달렸다.

문득 학창시절 셋이서 무전여행을 했던 일을 떠올리게 하였다. 그때는 젊다는 것 하나가 재산인 때였다. 여행에 아무런 목적이 없어도 젊다는 것이 그 목적이 되어 주던 그런 때였었다.
 나는 그 시절이 무척이나 자유로웠었다고 여겼었지만 이렇게 시베리아 평원 한 가운데 지도 한 장 들고 신의 계획을 찾아가는 것에 비길 바가 아니었다. 그 여정의 길 위에서 죽음을 맞이할 수도 있다는 가능성을 받아들인 여행은……, 뭐라고 해야 하나. 세상에 대한 모든 기대와 미련을 다 놓아 버린, 말로 설명하기 힘든 자유의 느낌이었다.

 무엇보다도 그 의미를 알 수 없었던 나라는 인간의 생에 주어졌던 모든 목적에의 퍼즐 조각을 맞춰가는 쾌감을 어떻게 설명할 수가 있을까.

 다행스럽게도 시베리아 평원은 백야현상으로 밤 11시가 넘어서야 해가 지기 시작했다.
 거의 해가 모두 졌을 때 우리는 바이칼호수 안의 알혼섬으로 들어가는 선착장에 도착할 수 있었다. 예상했던 대로 이미 배가 끊긴 상태여서 일행은 그곳에서 캠프를 치기로 했다. 야인으로 살아온 우리의 영웅, 부엉이 선배는 능숙하게 텐트를 치고 주어온 나뭇조각들로 불을 지펴 따뜻한 야채스프를 금세 끓여 내었다.
 아직 6월이라서 바이칼의 밤은 추웠다.
 새벽 2시가 되어가는 시각에야 저녁식사를 마칠 수 있었다. 하지만 피곤도 잊은 듯 모닥불 가를 떠나지 않고 모두들 말없이 앉아 있었다. 주변에 민가의 불빛이라고는 찾아 볼 수 없는 오지의 시베리아 평원에서 우리들만이 벌겋게 타오르는 모닥불 가에서 살아있는 군상들로 존재를 드러내며 잠 못 들고 있었다.
 달도 없는 까망 하늘에 은가루를 흩뿌려 놓은 듯 선명한 은하수가 굽이쳐 흐르고 있었다.

'탁!, 탁!' 나무가 타는 소리 외에는 간간히 호수의 물살과 바람이 부딪히는 소리가 들려왔고 주위는 고요하기만 하였다. 그 가운데 침묵을 깬 것은 부엉이 선배였다.

〈앙카스님, 아무런 계획도 없이 무작정 이 곳까지 오기는 했지만 도대체 그 징기스칸의 무덤을 우리가 어떻게 찾을 수가 있습니까?〉

앙카스님은 두 눈을 감은 채 앉아 있다가 슬며시 눈을 뜨고는 말했다.

〈징기스칸의 무덤은 1980년에, 지금은 돌아가신 탁상사원의 대스승님께서 이곳을 방문하시고 머무르시며, 그 실체에 대해 처음으로 언급하셨습니다. 그는 명상과 영적인 능력만으로 그 존재를 알아내셨고 우리 탁상사원의 수도승들은 '사자의 서'의 오랜 수호자이신 그의 말씀을 믿습니다. 아무도 무덤의 존재에 대해 사실상 과학적으로 확인한 바는 없습니다.〉

앙카스님은 알혼섬의 지도를 꺼내며 덧붙여 말했다.

〈하지만 대스승님께서는 정확한 위치를 알고 계셨습니다. 내일 우리들이 캠프를 칠 곳이 바로 이 곳입니다. 타이가의 숲이라 불리는 이 지점과 절벽으로 이어진 바이칼 호수 쪽으로 조망하다 보면 수심이 가장 깊은 곳이 눈에 들어옵니다. 바로 그곳에 징기스칸의 무덤과 '사자의 서'가 있습니다.〉

모닥불을 벗어나면 칠흑 같은 어둠과 마주해야하는 시베리아의 평원에서 부유하듯 떠 있는 우리들은, 상황적으로나 현실적으로나 문제의 해결에 있어서나, 딱 그런 상태였다. 어둠 한 가운데에 작은 불을 밝힌 그런 상태.

또다시 모닥불 가에는 침묵이 흘렀다.

갑자기 이지스가 언성을 높이며 불쑥 일어섰다.

〈어! 저게 뭐지?! 짐승인가?!〉

이지스는 아예 모닥불용으로 주워온 굵은 나무막대기까지 집어든 상태였다. 나와 부엉이 선배도 일어나서 이지스가 가리키는 방향을 살폈다.

흰색의 갈기를 가진 동물이었다. 어두워 잘 보이지 않아 말인지 여우인지 알 수는 없었다. 어쩌면 흰색 늑대일지도 모른다는 생각에 나도 불이 붙은 막대기 하나를 모닥불에서 집어 들고는 동물이 어슬렁거리는 쪽으로 다가갔다.

그러다가 흰색의 동물이 불을 보고도 두려워하지 않고 오히려 우리들 쪽으로 다가오는 것을 보고는 털컥 겁이 나서 다시 모닥불 근처로 뒷걸음질 쳤다.

그러자 부엉이 선배가 말했다.

〈말인가?!〉

그의 말에 다가오는 녀석을 자세히 살피니 좀 작은 흰색 망아지 같다고 생각했으나 거의 우리들 앞에 1m가량의 거리로 다가온 녀석은 뭐라 말로 형용할 수 없는 동물이었다.

백마의 흰색 갈기처럼 빛나고 기름진 탐스러운 털이 머리에서 발끝까지 흘러내리고 얼굴은 말처럼 길쭉하여 언뜻 보아서는 뿔만 있다면 흡사 유니콘 같았다. 하지만 말이라고 하기에는 70cm정도로 키가 작았고 몸의 털이 바닥에 끌릴 정도로 자라있었다.

모두들 정령이라고 해도 믿을 아름다운 동물의 출현에 넋을 놓고 있을 때, 한 노인이 불쑥 어둠속에서 소리 없이 나타나서 또 한 번 원정대를 놀라게 했다. 그도 그럴 것이 노인은 검은색의 아랍식 옷에 검은 두건을 길게 늘어뜨려 쓰고 있었다.

불빛에 드러난 그는 전형적인 아랍 노인이었다. 거뭇한 얼굴에 회색빛 턱수염과 콧수염을 길러 귀티가 흘렀고 중키였지만 뚱뚱한 풍채가 80, 90kg는 나가 보였는데 오른손에는 광택이 나는 긴 검은색 지팡이를 쥐고 육중한 몸을 의지하고 있었다.

〈뭐 먹을 것이 있으면 좀 주시지요. 긴 여행에 입맛이 없어서인지 이 녀석이 오늘 하루 종일 통 먹지를 못했거든요.〉

60, 70대로 보이는 노인은 아랍식 억양의 영어를 구사하고 있었다.

이 사라씨가 일어나 부엉이 선배가 놀라울 정도로 맛있게 끓여낸 야채스프와 빵을 그릇에 담아 내어 놓았다.

먹을 것을 보자 노인의 애완용 동물은 냄새를 맡더니 천천히 야채스프에 넣은 빵을 핥아 먹기 시작하였다. 녀석은 먹는 모습도 기품 있었다.

이런 모습이 기가 막혀 내가 노인에게 물었다.

〈도대체 이 동물은 무엇입니까?〉

〈아프간하운드라는 개의 일종입니다. 이 녀석들은 세계의 미견들 중에 단연 으뜸이죠.〉

검은색 아랍식 옷의 노인은 만족스럽게 개의 식사모습을 바라보다가 자랑하듯이 말했다.

이윽고 식사를 마친 녀석은 어둠속의 들판으로 뛰어 가버렸다. 어둠속에서 얼핏얼핏 하얀 갈기를 휘날리며 이리 뛰고 저리 뛰는 녀석의 모습은 마치 말의 정령이 별빛아래 춤이라도 추는 양 신비스럽게 빛을 발하였다.

〈녀석들은 '미운오리새끼'라는 별명이 있지요. 지금은 저렇게 요정이라도 본 듯이 신비스럽고 기품 있는 자태를 가지고 있지만 어렸을 때는 털이 여기저기 아무렇게나 생겨나서 여간 볼품이 없거

든요. 마치 저처럼 말이지요.〉
모두들 입을 헤벌쭉 벌리고 녀석이 어둠속에서 뛰어 노는 모습에 마음 빼앗기고 있다가 일제히 노인의 얼굴을 쳐다보았다.
〈저는 어렸을 적에 부모에게 버려져 청년이 될 때까지 시리아의 한 수도원에서 살았었죠. 그러다가 그곳을 등지고 사우디아라비아로 건너가 한 귀족의 석유 개발팀에서 막노동을 하게 되었습니다. 그 후 땅속 깊숙한 곳에서 석유를 찾아내는 능력을 인정받아 그 귀족의 양아들이 되었지요. 그러니 저랑 비슷하지 않습니까, 저 녀석이?〉
아랍 노인은 엷은 미소를 띠며 마치 소설 속에서나 나올법한 자신의 이력에 대해 말했다.
〈녀석의 이름은 '사바하'입니다. 아랍어로 숫자 7을 의미한답니다. 여기 승려분이 계신 것 같은데 '사바하'란 불교경전에 쓰인 만트라의 성취를 뜻하는 종결어미이기도 하지요.〉
그의 말에 시종일관 조용히 자리를 지키고 앉아있던 앙카스님이 급작스럽게 일어서며 격앙된 어조로 물었다.
〈당신은 누구십니까?!〉
아랍 노인은 기다렸다는 듯이 얼굴에 엷게 번져 있던 웃음기를 가시며 차갑게 말했다.
〈제 7의 봉인을 풀 자를 기다리는 사람 정도로 해 두지요.〉
〈제 7의 봉인?〉
앙카스님은 살짝 이마를 찡그리며 반문하였다.
아랍 노인은 얼굴을 굳히며 수수께끼 같은 알 수 없는 말들을 하였다.
〈세상의 빛이 7가지색이라고 각인된 것은 단지 과학자들의 말 때문일까요? 오늘날은 왜 7일간을 한 주간으로 살게 되었을까요? 동양의 음양오행에는 7개의 행성과 7개의 날이 존재하며 그들은 이것에 따라 인간의 길흉화복을 점쳐왔지요. 지구상의 씨앗들이 싹트는 시간은 왜 7일일까요? 동양인들과 이집트인들은 왜 북두칠성을 숭배했으며 성경에는 어째서 수백 번 7이라는 숫자를 언급할까요? 고대 인도음악은 7음계였고 힌두교의 제사관 숫자가 7명인 이유는 무엇일까요? 또 그리스 태양신의 마차를 끄는 말은 왜 7마리일까요? 임의의 세 자리 숫자를 두 번 반복하여 7로 나누어떨어지는 이유가 무엇인지, 도대체 왜 인류가 이 7이라는 숫자를 행운의 숫자로 만들고 신봉하는지 그 이유를 알고 있습니까? 그것은 제 7의 봉인 때문입니다.〉

순간, 나는 고승이 말한 불확실성의 무한한 가능성에 대해 떠올렸다. 나뿐만이 아니라 원정대 모두가 이 아랍 노인과의 만남이 심상치 않은 싸인임을 느낀듯하였다.

그때 어둠속에서 뛰어 놀던 개가 아랍 노인에게로 달려 왔다.

〈곧 다시 만나게 될 것입니다. 그럼.〉

붙잡을 새도 없이 검은 옷을 펄럭이며 미끄러지듯이 그는 어둠속으로 사라져 버렸다.

모두들 멍해지는 느낌이었다. 지상의 것이 아닌듯한 신비로운 동물과 한 번도 들어 본 적이 없는 숫자 7, '사바하'에 대한 비밀을 늘어놓으며 소리 없이 나타났다가 사라진 아랍 노인, 그 모든 것이 마법 같았다.

〈앙카스님, 제 7의 봉인이라니요?〉

부엉이 선배가 물었다.

〈글쎄요……, 저도 그 뜻이 무엇인지 모르겠습니다. 다만 그가 곧 다시 만날 것이라고 했으니 기다려 볼 수밖에요. 모든 것은 신의 계획대로 될 것입니다.〉

앙카스님의 말꼬리를 잡고 앙칼진 어투로 이지스가 쏘아붙이듯 말했다.

〈매번 신의 계획이라며 운명론적으로 말씀하시면서 불확실성의 무한한 가능성에 대해서 말씀하시는 스님들의 상반된 논리가 이해가 되지 않습니다!〉

이지스의 불만 섞인 반응에 앙카스님은 조용하게 말했다.

〈신의 계획은 논리가 아니라 믿음입니다. 논리란 인간의 것이지 신의 것은 아닙니다. 불확실한 가운데 예측가능성을 보는 것은 인간의 시각입니다. 신의 시각은 모든 것이 확연하지요. 불확실한 것에의 무한한 가능성이란 인간이 신의 의지를 조건 없이 받아들인다는 의미입니다. 즉 신의 일이란 뜻입니다. 혹 거부반응이 생긴다면 신을 거대한 우주의 원초적 무한에너지로 보아도 무방할 것입니다. 세상의 모든 일들이 인간의 눈에는 인간들의 의지로 이루어지는 것처럼 보이지만 모든 것은 신의 의지 즉 신의 계획입니다. 그 처음부터 끝까지 전부 말입니다. 인간들의 생각이란 신의 차원보다 억만 겁 하위 차원일 뿐입니다.〉

우주에서 일어나는 일의 1%도 논리로 설명할 수 없는 인간의 한계로 우리는 신을 평가하려했었다. 감히!

다음날 아침, 새벽 늦게 잠들어 아침 거의 11시가 다 되어 일어난 원정대는 알혼섬으로 들어가려는 차들이 선착장 입구에 길에 늘어선 것을 확인했다. 두 대의 배가 번갈아가며 차와 사람들을 실어 나르고 있었다.

우리는 서둘러서 미니밴을 차량대열에 끼워 세우고는 캠프를 빠르게 정리했다.

맑은 날이었지만 바이칼호의 바람은 차가왔다. 햇빛을 받아 반짝이는 호수는 지상최대의 담수호답게 바다라고 해도 좋을 만큼 규모가 컸고 물은 수심 깊은 곳까지 훤히 보일 정도로 맑았으나 얼음물처럼 시리었다.

배로 알혼섬 내에 들어온 일행은 미니밴을 몰아 한 시간 가량 떨어진 타이가의 숲으로 향했다. 섬의 토양이 모래로 되어 있어 미니밴은 춤을 추듯이 쿨렁거렸다. 멀미를 잘 하지 않는 나였지만 타이가의 숲에 거의 다다랐을 때는 속이 몹시 좋지 않았고 엉덩이는 감각이 무뎌질 정도였다.

타이가의 숲에서 호수 쪽으로 눈을 돌리면 막다른 절벽 나왔고 그 너머에는 푸른빛의 호수가 거대한 바다마냥 펼쳐져 있었다.

〈저 곳입니다. 바이칼호에서 수심이 가장 깊은 장소입니다.〉

앙카스님이 가리킨 곳을 바라보면서 모두들 내가 그렇듯이 막막함을 느끼고 있었다. 나는 내심으로는 빨리 그 검은 옷의 아랍노인이 마법처럼 다시 등장하기를 바랬다. 마법이 아니고서야 지금 이 상태로는 저 깊은 곳 어딘가에 있을 징기스칸의 무덤에 도달할 방법이 없었다.

원정대가 타이가의 숲에 캠프를 설치하고 3일이 흘렀다.

오전부터 요란한 소리에 텐트 밖으로 나와 보니 큰 군용헬기가 내리고 있었다. 헬기가 만들어 내는 바람으로 인해서 타이가의 숲 전체는 사막의 모래폭풍이라도 불어온 듯이 모래가 자욱하게 흩날렸다.

우리들이 주시하는 가운데, 헬기에서는 몇몇의 국적불명의 군인들이 내려 군용막사를 쳤다. 수분 내에 튼튼해 보이는 막사가 세워졌고 뒤이어 헬기에서 말끔한 차림의 중년사내 두 명과 노인 한 명이 내려 막사 안으로 들어갔다.
그 후, 헬기는 다시 하늘로 떠 어디론가 날아가 버렸다.
일행은 그 사내들의 동태를 지켜보았지만 그들은 하루를 꼬박 막사 안에서 머물렀다. 오히려 우리 쪽에서 슬슬 저 쪽으로 가서 접촉을 시도해 보아야 하는 게 아닌가 하는 의견이 나오기 시작할 즈음에, 이번엔 또 다른 검은 색 헬기 하나가 나타났다.
천천히 군용 막사 반대편에 헬기를 내리더니 아랍전통의상의 인부 네댓 명이 흰색의 막사를 설치하였다. 그리고는 전에 만났던 아랍 노인과 두 명의 흰색 턱시도를 입은 사내들이 함께 내려 막사 안으로 들어갔다.
이것을 지켜보던 부엉이 선배가 기다렸다는 듯이 그들에게로 가 볼 것을 제의했지만 일단은 저들이 움직이기 전까지 잠시 기다려 보자는 앙카스님의 의견에 따르기로 하였다.
그 다음날 알혼섬에는 비가 내렸고 의문의 두 막사는 사람이 없는 곳처럼 적막만이 흐르고 있었다.
그들의 정체는 알 수 없었지만, 관광목적으로 사람들이 찾는 것 외에는 그다지 사람의 이목을 끌지 않는 이곳에 그것도 두 대씩이나 헬기가 드나들이를 한다는 것은 필시 흔한 일은 아니었다. 어쩌면 우리의 임무수행에 가능성을 열어 줄 열쇠라는 생각이 들면서 나는 기다리는 것이 힘이 들었다.
그러나 다음날 아침까지도 그들은 움직임이 없었다.

전날 비가 내려서인지 하늘도 타이가의 숲도 청명하고 화창한 아침이었다. 우리 일행은 일찌감치들 일어나 아침 식사 준비를 하였지만 군용막사와 흰색막사는 여전히 고요한 아침을 맞고 있었다.

간단한 아침식사 후, 먹을 물이 떨어져 이지스는 미니밴을 운전해 앙카스님과 남게이스님과 함께 근처 가까운 후지리 마을로 물을 구하러 갔고 이 사라씨는 막사 앞에서 아침 명상 수행을 시작하였다.

그런데, 드디어 흰색막사 쪽에서 인적이 눈에 띄였다. 나는 부엉이 선배에게 눈짓으로 의견을 타진했고 그는 고개를 크게 끄덕였다. 우리 둘은 천천히 흰색막사 쪽을 향해 걸어갔다.

화창한 아침햇살을 받아 흰색막사는 화사하게 빛을 반사하고 있었다. 서서히 다가갈수록 막사의 둥근 돔에 새겨진 검은색 문양이 눈에 들어 왔는데 그것은 8개의 검은 태양이었다.

막사 앞 쪽으로는 다양한 컬러의 얇은 비단 커튼들이 여러 겹 드리워져 있었고 바닥은 고급 호텔에나 있을 법한 화려한 황금색 넝쿨 문양이 그려진 붉은 카페트가 널찍하게 깔려 있었는데 그 위로는 부드러운 벨벳의 짙은 자줏빛 소파가 ㄷ자형 구조로 놓여 있었다.

소파 뒤쪽으로 커다란 금색의 청동향로 속에는 숯불처럼 검은색의 나무재가 붉은 불씨를 머금고 향긋한 아랍의 향기를 뿜어내고 있었다.

아름답게 드리워진 비단 커튼들 사이에는 비즈장식들이 늘어져 있었는데 어떤 장식은 끝에 낙타 모양의 공예품을 달고 있었고 어떤 것은 작은 종이 붙어 있어 바람이 불어 올 때 마다 맑은 소리를 내었다.

오감을 자극하는 이국적인 풍취에 취해 나는 아랍에 와 있는 것만 같았다.

그 곳에는 두 명의 사내가 긴 유리잔에 샴페인을 마시면서 무언가에 열중하고 있었다. 그 중 한 명은 검은 아랍식 옷과 검은 두건에 흰색머리끈을 두른, 전에 만났었던 그 아랍 노인이었고 또 다른 한 명은 50대 정도의 신사로 흰색의 눈부신 턱시도에 검은색 나비 넥타이를 하고 잔뜩 기름을 바른 올백머리에 날려 올라갈 것 같은 콧수염을 기르고 있었다.

그 둘은 탁자위에 놓인 사각의 판을 사이에 두고 마주보고 앉아 있었는데 가까이 다가가서 자세히 보니 그것은 바둑판처럼 생겼으나 칸수가 적고 컸으며 놀랍게도 5cm가량의 길이에 지름이 1cm 정도인 흰색과 검은색 홀로그램 원기둥들이 판위에 즐비하게 놓여 있었다. 두 사내는 엄지와 검지에 특수한 장갑을 끼고 홀로그램 원기둥을 만들어 내어 판의 칸 위에다가 내려놓고 있었다.

〈저……〉

내가 무언가 말을 꺼내려 했으나 아랍 노인은 조용히 하라는 듯 검지를 입술에다가 대었다. 그런 노인의 오른손 중지에 커다랗고 반짝이는 검은색 보석 반지가 끼어져 있었다.

게임을 방해할 수 없어 부엉이 선배와 나는 그냥 선 채로 조용히 그들의 경기를 구경할 수밖에 없었다. 아랍 노인 곁에는 며칠 전 밤에 보았던 '사바하'가 눈부신 흰색 갈기털을 빛내며 우아한 검은 눈동자로 고요하게 우리를 주시하며 앉아 있었다.

처음에는 바둑과 같은 것인 줄 알았지만 전혀 다른 룰을 가진 게임이었다. 검은 기둥과 흰색 기둥이 서로 땅따먹기 하듯이 영역을 만드는 것이었는데 일단 자신의 기둥 두 개 사이에 상대편의 기둥들을 끼도록 만들면 자동으로 홀로그램 기둥색깔이 모두 자신의 기둥색깔로 바뀌는 룰이었다.

기둥을 둘 때마다 시시각각으로 변하는 기둥의 색깔들에 우리들은 오히려 게임에 푹 빠져 구경을 하고 있었다. 게임 판은 흰색 기둥들이 우세했다가 어느새 검은색 기둥들이 압도적이다가 계속적으로 난전을 거듭하였다.

누가 이길지는 끝까지 가봐야 알 수 있을 것 같았다. 자신의 영역이라고 만들어 놓아도 그것이 오히려 상대방이 영역을 넓힐 수 있는 빌미를 제공하는 수가 될 수 있었다. 승부를 가늠할 수 없는 가운데 흰색 턱시도의 신사가 막판에 거의 다 이긴 게임이라고 생각했으나, 마지막 두 번의 수로 아랍 노인이 기둥 색깔을 갈아놓으면서 37:27로 승리하였다. 게임은 그 곳에 찾아 간 용무를 잊게 할 만큼 흥미로웠다.

우리의 이런 마음을 들여다보았는지 아랍 노인이 말했다.

〈그래, 게임구경이 재미있었습니까?〉

아랍 노인의 질문에 아랑곳하지 않고 나는 오히려 그에게 물었다.

〈무슨 게임입니까?〉

〈오델로 게임이라고 하지요. 이 게임은 모두 64개의 칸에서 이루어집니다.〉

〈처음 보는 게임입니다. 한국에서는 바둑이나 체스는 해 봤어도 이런 게임은 본 적이 없습니다.〉

〈이 게임은 영국에서 오래전에 개발된 게임이었는데 놀랍게도 100년 가까이 지나서 일본에서 똑같은 게임이 개발이 되었지요. 놀라운 일은 그 일본인 개발자는 이 게임의 존재를 전혀 알지 못했다는 것입니다. 흥미롭지요? 어떻게 똑같은 게임을 생각해낼 수 있는지. 젊은이는 64라는 숫자를 좋아하십니까?〉

〈64요? 아니요, 그런 생각을 해 본 적은 없습니다만……〉

나는 다소 당황스러웠다. 세상에 태어나서 처음 받아보는 질문이었기 때문이었다.

〈64는 아주 특별한 의미가 있는 숫자이지요. 동양철학인 주역의 8괘를 씨줄과 날줄로 엮으면 64괘가 만들어지는데 이것으로 우주

만물의 움직임을 설명할 수 있습니다. 2의 6승, 4의 3승, 8의 2승으로 만들어 질 수 있는 이 숫자가 최적의 컴퓨터 디지털 환경인 64진법으로 64비트를 구현해 내는 것을 알고 있을 것입니다. 그리고 지구상의 거의 모든 생물의 DNA는 64진법으로 만들어진 똑같은 암호체계를 공유합니다. 생물학자들은 이것으로 어려운 생물학적 난제를 해결했죠. 그래서 64는 바로 인간과 자연의 존재양상을 상징하는 숫자라고 할 수 있습니다.〉

도대체 이 아랍 노인의 정체는 무엇일까?

수학자나 수비학 신비주의자인가? 아니면 신비주의적 숫자철학자?

나의 이런 의구심에도 아랑곳없이 아랍 노인은 계속 말을 이었다.

〈이 게임은 사각의 판위에서 파라미드의 꼭대기에 해당하는 4개의 가장자리를 누가 차지하는가에 따라서 그 승패가 갈리는 게임입니다. 64칸의 운명은 가장자리의 색깔에 따라 최종 결정이 됩니다.〉

게임에서 이기는 법은 의외로 간단했다.

〈아, 그렇겠군요.〉

〈이집트의 강력한 호신용 부적으로 알려진 태양신의 상징 호루스의 눈은 모두 64등분하여 버려진 오시리스의 눈이었다고 하지요. 이 신화의 이야기에서도 64가 지구상 생명들의 존재양상임을 알 수 있습니다. 오늘날에도 많은 사람들이 부적으로 사용하고 있는 이 호루스의 눈을 그릴 때는 특별한 분할법으로 그려야하는데 다 그리고 난 이후의 합은 64분의 63밖에 되지 않는다고 합니다. 찾을 수 없었던, 인간들이 잃어버린 그 64분의 1조각은 어디로 가버린 것일까요? 이제 곧 이 잊혀졌던 조각이 서서히 다가 올 것입니다.〉

다가온다?!

티벳의 고승도 했던 말이다. 도대체 무엇이 다가 온다는 것인가?

아랍 노인이 이야기를 잠시 멈춘 사이, 흰색 턱시도의 신사는 무언가 아랍어로 노인과 대화를 주고받은 후 웃으며 오델로게임 판을 들고 막사 안으로 사라졌다.

나와 부엉이선배는 노인의 맞은편 소파로 와 나란히 앉았다. 아랍 노인은 등받이에 등을 깊숙이 기대고는 숨을 한번 몰아쉬더니 편안한 자세를 취하며 엄지와 검지에 끼워졌던 알 수 없는 재질로 된 장갑을 벗었다.

그런 노인에게 부엉이 선배가 단도직입적인 질문을 던졌다.

〈실례가 되지 않는다면 혹시 당신의 정체가 무엇인지 여쭈어도 되겠습니까?〉

아랍 노인은 입가에 엷은 미소를 보이더니 눈썹을 치켜떠서 이마에 잔뜩 주름살을 만들면서 두 손을 다소곳이 끼워 배위에다가 차분히 올려놓은 채 이야기를 시작했다.

〈분수인 3분의 2와 3분의 1을 더하면 얼마가 나옵니까?〉

역시나 아랍 노인은 일관성 있게 숫자적인 토크 방식을 고수하였다.

노인의 질문에 부엉이 선배는 진지한 태도로 답했다.

〈3분 2 더하기 3분의 1은 3분의 3이니깐 1입니다.〉

〈맞습니다. 그러면 3분의 2를 소수로 계산하면 0.66666···입니다. 무한소수이지요. 그리고 3분의 1을 소수로 계산하면 0.33333···입니다. 역시 무한소수입니다. 이 두 무한소수를 합하면 얼마입니까?〉

〈글쎄요. 1이 되지 않을까요?〉

말하는 중에도 노인의 속내를 알 수 없다는 듯 멘사회원인 부엉이 선배는 고개를 갸우뚱거렸다.

〈아니지요. 정확히 1이라고 말할 수는 없습니다. 그냥 0.99999··· 라는 무한소수가 나오겠지요. 나는 바로 이 분수의 합이 무한소수의 합과 일치하지 않는 그 오차 같은 존재입니다. 세상에 없다고 말해도 하나도 이상할 것 없는 존재이지요. 하지만 엄연히 존재하는 오차이지요.〉

그의 말에 우리 두 사람은 어리둥절한 표정을 감추지 못했다. 그럼에도 불구하고 얼마나 일관성 있는 아랍 노인다운 자기표현인지.

자신을 이렇게 숫자에 비유하는, 그것도 분수와 소수간의 오차에 비유하는 사람을 세상에서 처음 만났다.

우리의 난감해 하는 표정을 보더니 아랍 노인은 묘한 미소를 지으며 애견 사바하의 갈기털을 쓸어 내렸다. 그리고 잠시 후에 다시 말을 이었을 때는 수비학자 같은 논리적인 말투가 아니라 한결 부드러워진 목소리였다.

〈사실, 나의 내력을 말하는 데는 약간 고통이 따릅니다. 상기하고 싶지 않은 기억 때문입니다. 하지만 나의 정체에 대한 이해에 도움이 된다면 오늘은 당신들에게 말해야겠지요. 나는 '음자(陰者)의 공명자'입니다.〉

노인의 난해한 자기표현에 할 말을 잃고 있었던 부엉이 선배가 눈을 가늘게 뜨며 말했다.

〈'음자의 공명자'요?〉

〈네, 그렇습니다. 인간으로 태어났으나 인간이라고 말하기에는 뿌리가 다른 존재들이지요. 애석하게도 대개 우리 '음자의 공명자'들은 태어나서 자신이 남들과 다르다는 것을 알고 난 이후 자살을 하거나 부모들로부터 버림을 받습니다. 현재 지구상에 남아 있는 숫자는 모두 8명입니다.〉

그의 말에 내가 물었다.

〈도대체 '음자의 공명자'란 무엇입니까?〉
〈이해가 가능한 존재들이 아닙니다. 우리의 존재를 말할 때 오차라고 말하는 것이 단순한 비유가 아니라는 말이지요. 우리의 존재를 설명하기란 그 만큼 힘듭니다. 그렇더라도 굳이 우리의 존재를 구분 지을라치면 당신들의 존재에 대해서 말하면 될 것입니다.〉
〈우리요? 우리가 어떤 존재들인가요?〉
나는 정말로 나의 존재가 어떤 존재인지 궁금했다. 여기까지 운명에 휩쓸려 오면서 품었던 가장 원초적인 의문이 아니던가?

나란 존재는 무엇인가?

〈당신들은 '빛의 존재'들입니다.〉
〈'빛의 존재'? 저희가요? 어째서 저희가 '빛의 존재'입니까?〉
〈당신들의 존재를 더 자세히 말하자면 '빛의 씨앗'들입니다.〉
아랍 노인의 말은 너무나 추상적이고 종교에서나 논해야할 현실성이 결여된 판타지였다. 나는 약간의 실망감까지 느꼈다.
〈당신들의 존재를 다르게 말하면 '색의 존재'들이기도 하지요. 어찌되었든 빛이 곧 색이기 때문입니다. 그래서 당신들은 바로 당신들의 아버지의 모습 그대로인 빛 그 자체입니다.〉
나는 약간의 반항조로 물었다. 그의 말을 이해해서 받아들이기가 힘들었기 때문이었다.
〈이해할 수 없습니다. 우리는 빛이 아니라 살아 있는 생물입니다. 우리가 어째서 '빛의 존재'들입니까?〉
〈'빛의 존재'들인 당신들이 자신의 본모습을 빛이 아니라고 말하는 것은 실체적의 자신들의 뿌리를 모르기 때문입니다. 그렇다면 역으로 당신들이 '빛의 존재'인 것을 증명해 보려면 방법이 있지요. 태양을 없애 보면 됩니다. 그러면 당신들은 머지않은 시간 내에 지구상에서 사라질 것입니다. 하지만 당신들이 저절로 그 진실을 알 수 있는 방법이 있는데 그것이 바로 잃어버린 64분의 1조각을 찾는 것입니다.〉

나는 풀수록 난해해지는 수학문제를 붙잡고 있는 것처럼 머리가 복잡해져 왔다.

〈그 64분의 1조각이란 무엇입니까?〉

〈그것은 '영적인 눈'을 말하는 것입니다. 호루스의 눈! 즉 당신들의 본래의 모습인 빛의 모습을 볼 수 있는 영성의 눈입니다. 그 눈이 작동하도록 기름이 부어지는 순간, 모든 인간들은 성스러운 자신의 존재를 깨닫게 됩니다. 그래서 깨달음이 아니겠습니까? 그렇지 않습니까? 자신이 어떤 존재이며 왜 지금 여기에 있는지, 무엇때문에 살며 어디로 가는지 그것을 알아차리고자 삶이라는 매개체가 주어지는 것이지요. 고통과 같이 강한 자극을 받을수록 자신의 존재를 알아차림은 빨라질 수 있습니다.〉

많은 종교에서 말하는 깨달음, 도대체 그의 말과 다른 것이 없었다. 그렇다면 내가 찾는 진리란 이미 세상 사람들이 오래전부터 알고 있었고 그것을 찾는 방법 또한 알고 있었단 말인가?

그래서 김 민은 그렇게 고통스러운 방법으로 죽음을 맞이했던 것일까?

내가 걷잡을 새 없이 떠오르는 생각에 사로 잡혀 있을 때 계속해서 아랍 노인은 말을 이었다.

〈인간은 그 64분의 1조각이 없이는 자신들의 존재양상에 대한 진리를 평생 깨닫지 못하게 되는 것입니다. 깨달음을 얻은 수행승들이 죽음을 맞이한 이후 다비식(화장)을 행하고 나면 마치 작은 보석처럼 생긴 다양한 모양의 사리라는 돌이 나옵니다. 어떤 것은 반짝이거나 어떤 것은 화려하고 신비로운 색깔을 띠기도 하지요. 이 사리에서 프로트악티늄이라는 성분이 검출되는데 이 성분은 강철보다 강하며 고도의 열인 이를테면 태양과 같이 뜨거운 온도 속에서 핵융합과정으로 나오는 물질로 알려져 있지요. 강력한 빛의 에너지인 '불성'을 얻은 수행승들에게는 당연한 결과라고 할 수 있겠습니다만, 그것은 정확한 과학 원리 이상의 것입니다. 당신들의 과학으로 그것을 설명하려 들지 마십시오. 그것을 얻게 되면 자연스럽게 알게 되어 있습니다. 그러나 한번 얻은 영성의 눈은 그 이전의 자신으로 돌아갈 수 없음도 알게 되지요. 그 이전 자신이 알던 세상에 대한 정보는 전혀 다른 것이 될 것입니다.〉

그래서 그것을 얻고자 수많은 구도자들이 깊은 산중의 산사로 찾아들어 머리를 깎고 세상과 연을 끊고 최소한의 생명을 연명할 채식을 하며 명상수행을 하는 것일까?

나는 그렇다 치더라도 영혼과 지구에 대한 연구를 위해 지난 4년간을 은둔하며 지냈던 부엉이 선배마저도 그가 말하는 우리들의 본래 모습에 관해 의구심을 갖는 눈치였다.

난해한 우리 존재에 대한 이해는 나도 부엉이 선배도 차후로 미루기로 한 듯 다시 한 번 부엉이 선배가 질문을 했다.

〈그렇다면 '음자의 공명자'인 당신들은 무슨 존재입니까? 우리랑 무엇이 다릅니까?〉

〈우리 '음자의 공명자'들은 빛의 세계 너머의 비존재의 영역에서 온 영혼들입니다. 지구적인 사고방식으로는 이해하기 어려운 영역입니다. 당신들 빛의 세계는 유한한 세계이지만 음자의 세계는 무한한 세계입니다. 즉 비존재입니다.〉

아랍 노인의 말을 나와 부엉이 선배는 이해할 수가 없었다. 그것은 우리의 생각 영역 밖의 더욱더 거대한 무엇이라는 것 외에는 상상할 수조차 없었다.

우리의 이해력과는 상관없이 아랍 노인은 차분하게 이야기를 계속해 나갔다.

〈하지만 우리들의 존재도 지구상에 생물적 형태를 갖추고 있기 때문에 양자(陽者)적인 의미가 없지는 않습니다. 그러나 나의 영혼은 음자(陰者)의 영역의 것입니다. 나는 그것을 아주 어렸을 적에 알게 되었지요. 나는 원래 시리아의 사막지역에서 낙타를 키우는 베두인족의 아이로 태어났습니다. 하지만 나는 나 자신의 정체에 대해 알게 되는 사건을 겪게 되었습니다. 빛의 영역의 존재들은 알 수없는 세계에 관한 것이지요. 젊은이는 우주가 멈춘다는 것을 느껴본 적이 있습니까?〉

그의 질문은 우리들을 매번 당혹스럽게 만드는 것들이었다.

〈아, 아뇨.〉

우리들은 서로 얼굴을 쳐다보다가 어리둥절한 표정을 지어내며 동시에 말했다.

〈내 나이 10세 때 1948년, 역사적으로는 독립을 이룬 시리아의 주변국들로 중동전쟁의 기운이 감돌고 있을 때 우주가 멈춰버렸지요.〉

〈네?! 우주가 멈춰요?! 1948년에요?!〉

아랍 노인은 세상에서 한 번도 들어 본 적이 없는 놀라운 이야기를 계속했다.

〈우주를 움직이는 거대한 의지가 그 의지를 멈춰버린 시점, 나는 깨어 있었지요. 그 시간은 인간의 계산으로 계산할 수 없는 무한의 시간입니다. 그 시간동안 나는 깨어 있는 나를 저주했습니다. 10세가 된 아이가 받아들이기에는 너무나 큰일이었지요. 모든 만물이 정지해 버린 그 시간, 영혼이 깨어 있다는 사실을 받아들이지 못하면 미쳐 버릴 수밖에 없는 것입니다. 하지만 나는 그 무한의 시간 동안 두려움에 떨면서도 세상을 움직이는 그 반항할 수 없는 원초적인 의지와 공명하고 있음을 알았습니다. 그 존재가 바로 무한한 어둠인 '음자'입니다.〉

〈……〉

우리들은 더욱더 숨을 죽이고 노인의 말에 귀를 기우렸다.

〈10세의 아이는 극심한 공포와 싸워야 했습니다. 보아왔던 모든 세상이 거짓이며 환상이라는 공포, 인간으로서 느꼈던 모든 감각들은 조작된 것이라는 공포, 광활한 우주 속에 홀로 깨어 있는 암담함으로 10세 소년의 영혼은 인간의 현자가 얻는 깨달음의 종류와 전혀 다른 깨달음을 얻게 되었습니다. 그것은 '음자의 의지'였습니다. 우주 원초적인 에너지의 의지였지요.〉

부엉이 선배는 호흡을 길게 내뿜으며 팔짱을 끼고는 말했다.

〈그러니까, 우리들은 '빛의 존재'들이고 당신은 무한어둠과 공명하는 존재라는 말씀입니까?〉

〈네, 그렇습니다.〉

〈그리고 우주가 무한의 시간동안 멈춰있었다가 다시 활동을 시작했다는 것입니까?〉

〈오랜 무한의 시간이 흘러 세상이 다시 시간이 흐르기 시작했을 때, 깨어난 영혼들은 시간의 멈춤에 관해서 아무도 알고 있는 이가 없었지요. 어느 누구도 나의 말을 믿어 주질 않았습니다. 그도 그럴 것이 시간이 흐르기 시작했을 때, 나는 거의 제 정신으로 살 수 없는 상태가 되어 버렸지요. 거의 반은 미친 상태였다고 할 수 있습니다. 나의 부모들은 그런 상태의 나를 악마가 들렸다고 여겼고

마침내는 시리아의 마눌라라는 마을에 위치한 수도원 앞에다가 버렸습니다.〉

〈오, 저런!〉

나는 그가 '미운오리새끼'라는 별명을 가진 아프간하운드에 자신을 비유했던 것을 떠 올렸다.

〈1948년부터 나는 마눌라의 성 세르기우스 수도원에서 성직자가 되기 위해 수도 생활을 시작하면서 그 모든 충격으로 인해 자의적으로 침묵하기로 결심했지요. 수도원의 모든 이들은 나를 벙어리로 여겼습니다. 나는 이 모든 것이 반드시 이유가 있으리라고 여겼습니다. 그 비밀 열쇠를 찾기 전에는 절대 자살 같은 것은 할 수 없다고 결론을 내렸지요. 성장해가면서 나는 그 비존재인 음자의 에너지와 점점 더 공명감이 커져갔습니다. 이윽고 나는 지구내의 '음자의 공명자'들과도 공명할 수 있게 되었습니다. 그리고 나는 우리 8명 이전 지구 최초의 '음자의 공명자'가 남긴 책이 있다는 사실을 알게 되었습니다. 점점 시간이 흐를수록 그 책이 이제 곧 세상에 드러나리라는 것을 예감할 수 있었지요. 그 메시지는 오랫동안 지구상 모든 예언들에서 봉인되었고 인간들이 받아들일 수 있는 적당한 시기에 세상에 알려 질 것이라는 것을 알게 되었습니다. 그 봉인은 인간들이 '제 7의 봉인'을 풀 자를 맞이한 이후에야 세상에 드러나게 될 것입니다. 22세가 되던 해에 나는 수도원에서 나와 사우디아라비아로 갔습니다. 그것은 순전히 '제 7의 봉인'을 풀 자를 찾기 위함이었지요.〉

〈최초의 '음자의 공명자'가 쓴 책이란 무엇입니까?〉

〈'나이만의 서'라는 책입니다. 징기스칸이 나이만 정벌 시, 어떤 종교일파의 신전에서 발견한 것으로 알려졌는데 그 내용이 너무나 악마적이라 절대로 사람들이 볼 수 없도록 없애 버리라고 명령했다고 전해집니다. 그 이후로는 로마에서 발견되어 교황청과 러시아의 그리스 정교회에서 보관하고 있다는 소문이 돌아 조사해 보았지만 모두 아니었습니다.〉

그의 말을 듣는 동안 나와 부엉이 선배는 놀라지 않을 수 없었다. 나는 머리에 얼음을 뒤집어 쓴 것처럼 저릿해옴을 느꼈는데 그것은 단순히 놀랍다는 것보다 두려움에 가까웠다.

그 모든 것이 신의 계획에 의해 운명적으로 정해져 있는 것이 사실이란 말인가?

나는 징기스칸이라는 말에 거의 사색이 되었다. 그토록 종교적인 신비주의나 '빛의 존재' 따위에 동요되지 않았던 내가 아니던가?

그러나,

거대한 운명의 퍼즐은 광폭한 굉음을 내면서 하나하나 조각이 맞추어져가고 있었다.

마음의 혼란스러움을 가라앉히고 나는 애써 침착하게 물었다.

〈그…… '나이만의 서'란 어떤 내용입니까?〉

〈그것은 나로서도 알 수 없습니다. 나도 그 내용을 알아야만 지구상의 내 존재를 완성할 수 있습니다. 그래서 이토록 찾고 있지 않습니까? 단, 인간들이 준비되기 이전에는 절대로 발설되지 않아야만 할 내용이겠지요. 하지만 강한 기운이 지금 이곳에서 느껴집니다. 어딘지 알 수는 없지만 내가 공명하는 그 근원의 에너지와 무척 가까이 있다는 느낌입니다. 그 근원의 에너지는 이 지구상의 에너지들과 차원이 다르므로 어떻게 발현될는지 모르겠으나 지금 내가 받는 느낌은 전에 없이 강렬합니다.〉

〈그렇다면 한 가지 묻고 싶습니다. 여기까지 오신 이유는 무엇입

니까?〉

〈나는 단지 세상이 보여주는 싸인을 쫓아 온 것입니다. 우리는 당신들의 뒤를 쫓았습니다. 세도나에서 세계평화를 위해 소신공양을 하겠다는 청년의 소식을 접하고는 그가 티벳의 승려들과 함께 라는 정보를 입수하게 되었지요. 처음에는 다람살라에 계신 달라이라마의 계획인가 하였지만 사키아와 라싸의 승려들이 주축이 되었다는 것을 알게 되었습니다. 이거 미안하게 되었지만 우리가 당신들의 행적을 미행한 것입니다. 용서하시지요.〉

미래 불확실성의 무한한 가능성의 힘이란 이런 것을 뜻하는 걸까?

'음자의 공명자'인 아랍 노인은 불가능해 보이는 앞으로의 불확실성에 어떤 존재가 되어 줄 것인가?

나는 소름이 끼쳤다.

그 누구도 거부할 수 없는 운명이란 것이 신의 계획임을 알아차려 버렸다.

그렇다면 이제 우리들이 찾아야할 열쇠는?

〈'제 7의 봉인'이란 무엇인지 말해 주십시오.〉

〈그것은 제가 말해도 되겠습니까?〉

그들이었다.

군용막사의 3명의 사내들이었다. 아랍 노인과의 이야기에 빠져 우리는 시간이 꽤 흘렀다는 것을 인식하지 못하고 있었다. 정신을 차리고 우리의 막사 쪽을 살피니 이미 이지스와 앙카스님, 남게이 스님이 돌아와 막사 앞 테이블에 둘러 앉아 우리들을 주시하고 있었다.

〈제가 이야기에 끼어드는 것이 실례가 되는지요?〉

군용막사에서 온 노인은 오래되어 보이는 낡은 나무지팡이에 검소한 흰색 와이셔츠와 회색양복바지를 입고 있었고 거의 80세는 되어 보였다. 그는 주름진 얼굴과 흰색의 곱슬머리에 등이 약간 굽어 지팡이에 의지하며 걷고는 있었지만 건강해 보였으며 무엇보다도 젊은이 못지않은 강한 눈빛을 소유한 노인이었다.

그의 뒤에는 수트차림에 중년의 건장해 보이는 썬글라스를 쓴 두 사내들이 서 있었는데 보디가드들인 듯 보였다.

노인이 나타나자 아랍 노인은 등을 소파에서 떼고 일어나더니 손으로 자신의 오른쪽 소파를 가리키며 말했다.

〈어서 오십시오. 기다리고 있었습니다. 비숍!〉

얼떨결에 나와 부엉이 선배도 일어나서 노인 일행을 맞이했다.

노인은 아랍 노인의 말에 놀란 듯이 한번 쳐다보고는 소파에 앉으며 그의 말을 받았다.

〈나를 기다리고 있었다구요? 제 이름을 알고 계시는군요.〉

노인의 수행원인 썬글라스의 사내들은 소파 뒤에 노인의 그림자마냥 섰다. 그 중 한 사내는 나무 상자를 두 팔로 받쳐 들고 있었다.

노인이 소파에 앉은 뒤에야 아랍 노인도 자리를 잡고 앉으며 말했다.

〈세계 경제와 정치를 쥐락펴락하고 계시는 분을 제가 모를 리가 있겠습니까? 언젠가는 다시 한 번은 만날 날이 있을 것이라고 생각하고 있었습니다.〉

노인은 아랍 노인을 확인하듯 응시하였다.

〈다시 한 번? 우리가 어디서 만난 적이 있었던가요?〉

나와 부엉이 선배는 두 노인 간에 오가는 대화를 말없이 앉아 듣고만 있었다.

아랍 노인은 말을 이었다.

〈1960년, 시리아의 마눌라에 위치한 성 테클라수녀원에서 만났었습니다.〉

그 말에 노인은 생각에 잠긴 듯이 잠시 말을 잇지 못하더니 기억해내는 것을 포기한 듯이 말했다.

〈인간들이란 시간 앞에서 어쩔 수없이 모습이 변하니 50년이나 지난 지금, 당신의 얼굴을 보았다하더라도 알아보지 못하는 것은 당연지사겠지요. 하지만 1960년 지금으로부터 50년 전, 정확히 시리아의 마눌라에 있었고 그곳의 성 테클라수녀원을 찾아 갔었던 것은 사실입니다.〉

노인의 반응에 아랍 노인은 정색하고는 물었다.

〈그렇다면, 당시 성 테클라수녀원에서 수녀 실종사건이 있었던 것을 알고 계시겠군요?〉

다소 냉랭해진 분위기에, 나와 부엉이 선배는 두 노인의 눈치를 살피고 있었다.

잠시 생각에 빠진 듯 한 노인은 아랍 노인을 찬찬히 바라보았다.

〈음……, 당시 그 수녀를 만나기 위해 찾아간 것은 사실이지만 내가 수녀의 실종을 주도한 사람은 아닙니다. 그런데 당신이 어떻게……〉

〈나는 당시 성 테클라수녀원보다 언덕에 위치한 성 세르기우스수도원의 수도사로 있었습니다. 그래서 당시 수녀원에 비숍, 당신이 찾아 온 일을 알고 있었고 그 이후 수녀 한 명이 실종된 사건이 있었지요.〉

〈아, 그렇군요. 수도사였었군요. 하지만 단언하건데, 그 수녀는 스스로 사라진 것입니다. 결국 나도 그녀를 찾지 못했었지요.〉

〈무엇 때문에 그 수녀를 만나려했습니까?〉

그 말에 노인은 다시 한 번 침묵을 하다가 말을 이었다.

〈나는……, 이제 내 인생을 정리할 때가 다가왔다는 것을 느낍니다. 그 동안 나는 길다면 긴 인생을 살았지요. 한편, 너무나도 짧은 인생을 살았다는 느낌도 가끔 듭니다. 내 나이가 500살이 넘었으니 인간으로서는 짧다고 할 수도 없는 인생이지요.〉

500살! 이것이 가능이나 한 일인가?

놀란 부엉이 선배가 노인에게 물었다.

〈500살이라고요? 당신은 누구십니까?〉

예사롭지 않은 강렬한 눈빛의 노인은 잠시 눈을 내리 깔며 긴 그의 인생사를 정리하듯 감회에 젖은 눈빛으로 말했다.

〈내가 누구냐구요? 사실 나도 나란 존재를 잘 모르겠습니다. 모두들 그냥 비숍이라고 나를 부르죠. 오랜 세월동안 많은 일을 했습니다. 전쟁도 일으키고 새로운 혁신적인 사조도 만들어 내고 나라도 건립하고 어마 어마한 돈도 벌고 그 힘으로 나라를 사라지게도 하고 중세의 연금술에서부터 수많은 발전을 도모하기도 했습니다. 과학, 의학, 철학, 건축, 미술, 천문학 등 많은 것들을 만들어 내기도 하고 파괴하기도 하며 마치 신처럼 군림하고 살았었지요.〉

비숍은 또 잠시간 침묵했다.

수백 년에 걸친 회한들이 밀려오는 듯 그는 그 모든 것을 말해 줄 수는 없었지만 스스로 벅참을 억누르는 것처럼 보였다.

〈하지만 나는 내가 정말 누구인지 모르겠습니다. 그리고 이제 와서는 그 모든 능력을 받음은 어떤 일을 위해서가 아닐까하고 생각하게 되었습니다.〉

나는 참회하듯 말하는 비숍에게 의아하여 물었다.

〈어떻게 500살을 살게 되었고 또한 어떻게 그런 권력을 얻게 되었습니까?〉

〈한참 르네상스 부흥기에 있던 1400년대, 이태리에서 나는 유대계 이태리인으로 무역업을 하는 상인이었습니다. 자연스럽게 세계 각국을 넘나들게 되면서 여러 나라로부터 진귀한 물건들을 많이 접하게 되었습니다. 그렇게 해서 모은 고서와 골동품들이 꽤 되었고 그런 것들을 남몰래 사들인다는 소문이 나서 그런지 모르겠지만, 당시 아랍 쪽에서 도굴한 골동품들이나 훔친 고서들을 자주 접할 수 있게 되었지요. 하지만 어느 날 얻은 물품 속 한 고서는 알 수 없는 문자로 되어 있었습니다. 나는 나의 정보통을 총동원하여 그 고서를 해독하려고 애썼지요. 수소문 끝에 고서를 해독할 수 있는 자를 찾았는데 그는 바로 마눌라라는 도시 출신자였고 그곳에서는 아람어라는 문자를 같이 혼용하고 있다는 사실을 알게 되었지요. 그리고 더불어 그 고서가 그곳의 성 테클라수녀원에서 훔친 물건이라는 것도 알게 되었습니다.〉

잠잠히 있던 아랍 노인이 비숍의 말을 잘랐다.

〈그 고서란 무엇입니까?〉

〈그 고서는 바로 막달레나 마리아의 복음서였습니다. 아니 더 정확히 말하자면 예수의 복음서이지요.〉

아랍 노인이 눈을 크게 뜨며 말했다.

〈예수의 복음서?〉

〈예, 그렇습니다. 막달레나 마리아에게만 기록하도록 한 예수의 복음서이지요. 몇 개 만들어 지지도 않은 이 복음서는 훗날 그나마 모두 불에 태워져 흔적도 없이 사라졌습니다.〉

궁금증을 더해 가는 예수의 복음서 이야기에 아랍 노인은 다시 질문하였다.
〈그런데 어찌해서 성 테클라수녀원에 그것이 있었습니까?〉
〈아시다시피 성 테클라수녀원은 천연요새의 지형을 가졌습니다. 거대한 암석이 도시를 가로막고 있어 도망자가 피신하기에는 안성맞춤인데다가 그 암석 밑에 만들어진 도시는 거의 타지인이 찾기란 힘든 요새 중에 요새이지요. 그래서 수백 년간 시리아의 이슬람 세력 속에서도 유일하게 기독교 도시로 남아 있는 곳이기도 하지요.〉
〈네, 그것은 너무나 잘 알고 있습니다. 제가 그곳에서 오랫동안 살았으니까요. 거의 2천 년 전에 테클라라는 순결하고 성스러운 처녀가 이곳으로 피신했다가 순교한 것을 기념하여 만든 것이 성 테클라수녀원이니까요. 그 2천 년간 기독교도의 천연 피신처가 되어준 곳이지요. 그리고 2천 년 전 예수가 사용하던 언어인 아람어를 세계 유일하게 사용하는 도시이기도 하구요.〉
아랍 노인의 말에 비숍은 고개를 끄덕이며 말을 이었다.
〈바로 그렇습니다. 예수가 처형당하자 마리아는 그의 부활을 사도들에게 알리고 웬일인지 모르지만 도망치듯 모든 성경의 이야기에서 사라집니다. 그때 마리아는 신변의 위협을 느끼고 있었지요. 하지만 그녀는 여러 도시를 다니며 예수의 복음을 전파하려 하였습니다. 그녀를 위협하는 요소들은 도처에 있었습니다. 당시 로마군 장교로 그녀를 체포하라는 명령을 받은 사도 바울은 다메섹(현재, 다마스쿠스 : 시리아의 수도)이라는 도시로 그녀를 체포하러 병사를 이끌고 갔습니다. 하지만 그는 빛에 휩싸여 신성을 발하는 마리아를 길가에서 만나게 되었습니다. 그리고 그는 그 모든 것을 버리고 예수의 사도가 되기로 결심하고 위험에 빠진 마리아와 그녀의 추종자들을 다메섹에서 얼마 떨어지지 않은 천연 요새의 땅, 마눌

라에 피신시켰습니다. 그녀의 추종자들 중 한 명이 바로 성스로운 처녀 테클라입니다.〉

아랍 노인은 놀랍다는 듯이 말했다.

〈그렇다면 마눌라는 마리아의 피신처였단 말입니까?〉

〈네, 그렇습니다. 그녀는 그곳에서 예수가 유일하게 여자 사도였던 그녀에게 전하라고 한 복음서를 아람어로 완성했으며 훗날을 위해 마눌라에서는 아람어를 공용어로 전승하도록 한 것입니다.〉

아랍 노인은 제차 질문하였다.

〈그 복음서는 무슨 내용이 쓰여 있습니까?〉

비숍이 왼손을 들어 신호하자 썬글라스의 사나이 중 한 명이 두 손에 받쳐 들고 있던 상자를 탁자위에 놓았다. 비숍은 천천히 상자의 뚜껑을 젖혔고 그 곳에는 오래된 고서가 눈에 들어 왔다.

〈이것이 그 복음서입니다. 이 예수의 복음서에는 예수가 어떻게 빛의 사도되었고 신의 아들임을 깨달았는지에 대한 예수의 수행에 관한 자세한 이야기가 쓰여 있습니다. 이 수행서는 모든 이들이 수행을 통해 빛의 사도가 될 수 있음을 말하고 있으며 이 수행서가 다른 사도들의 반대에 의해 또는 음해에 의해 발표되지 않을 것도 예견하고 있습니다. 이 수행서를 본 이는 현재로서는 지구상에 나 혼자뿐이며 10여년 수행의 결과 끝에 나는 빛의 사도가 되었고 500년 이상을 살고 있습니다. 지금 와서 생각하니 나는 수행서에 의해서 초인적인 존재가 되었지만 나의 에고를 이기지 못한 탓에 너무나 먼 곳을 돌아온 듯 한 기분입니다.〉

비숍의 말에 아랍 노인은 의구심이 가득한 눈빛으로 말했다.

〈그렇다면 이제는 말해 주시지요. 그때 1960년에 다시 성 테클라 수녀원을 찾은 이유는 무엇입니까?〉

〈예수의 수행복음만으로도 나는 만족스럽다고 생각했었습니다. 그러나 지구상에서는 신처럼 굴림하며 살았는지 모르지만 나는 예수와 같은 인물이 되지는 못했지요. 나는 왜 메시아가 될 수 없는 것인지 알 수가 없었습니다. 그래서 복음서 끝 대목의 내용이 궁금해진 것입니다. 그것은 말법의 시기에 관한 대목이었죠. 그 내용 중에 이런 대목이 있습니다. '내가 이르노니 이것은 사람들이 저마다 이마에 인을 치고 마음이 정화되어 7천사를 맞이하기 이전까지 절대 발설하지 말라. 그전에 사람들이 알아서도 안 되고 듣게 되더라도 그 의미를 알지 못하리라.' 갑자기 그 대목에서 예수가 비밀로 할 것을 주문한 그 내용이 궁금해지기 시작했습니다. 그래서 성 테클라수녀원을 찾아 갔었지요. 하지만 내가 얻고자하는 답은 찾을 수 없었습니다. 마리아 대에서부터 발탁이 된 단 한명의 수녀에게만 구전하여 전승하도록 되어 있는 예수의 묵시적인 예언이었던 것입니다. 결국 그 수녀가 자취를 감추고 나서야 그러한 사실들을 알게 되었습니다.〉

비숍의 말에 아랍 노인은 눈을 내리 깔고 잠시 생각하더니 말을 꺼냈다.

〈어쩌면 당신이 찾고 있는 것과 내가 찾고 있는 것이 같은 것일지도 모른다는 생각이 듭니다.〉

아랍 노인의 말에 비숍도 긍정하듯이 고개를 천천히 끄덕였다.

그들의 대화에 조용히 귀 기울이고 있다가 이번에는 내가 물었다.

〈그 제 7의 봉인이란 무엇을 뜻하는 것입니까?〉

〈제 7의 봉인이란 성경의 마지막장인 요한계시록에 나와 있는 것입니다. 그것은 종말의 대재앙에 관한 것입니다. 이마에 신의 인을 받지 않은 자들에게 가해질 가혹한 형벌들이 기록되어 있지요. 이에 대해 도마복음서에는 빛을 얻지 않은 자들로 달리 기록하고 있습니다.〉

그들은 왜 한결같이 빛에 대한 이야기를 하는 걸까?
우리들은 정말 빛의 존재들인 것일까?

〈빛을 얻지 않은 자들이란 무엇입니까?〉

비숍은 500년이라는 긴긴 세월을 견뎌낸 자에게서만 볼 수 있는 깊고 현명하며 고결한 눈빛으로 답했다.

〈영성을 얻지 못한 자들입니다. 자신의 내면의 빛을 찾은 자들은 이미 자신들의 존재가 생물학적인 물질적 존재 이상의 것임을 깨닫게 됩니다. 그들에게 죽음이란 영혼의 탈위에 씌워진 껍데기를 깨는 일일뿐이죠. 하지만 우리는 이 껍데기가 겪는 고통을 통해서 우리의 영혼이 빛의 모습을 하고 있다는 것을 알아차릴 수 있으므로 그 껍데기는 우리에게는 스승과도 같은 역할을 하게 됩니다.〉

듣고만 있던 부엉이 선배가 말을 받았다.

〈그러면 당신의 얘기는 곧 종말의 재앙이 닥쳐올 것이고 깨달음을 얻지 못한 인간들은 고통을 받을 것이라는 거 아닙니까? 그렇다면 제 7의 봉인을 풀 자란 종말을 가져올 자라는 말 아닙니까?〉

비숍이 답했다.

〈우리 인간의 생이란 이미 운명적으로 정해진 스케줄 같은 것입니다. 만약 종말이 온다면 이미 정해진 것이지, 제 7의 봉인을 풀 자가 야기하는 것은 아닙니다. 하지만 그 제 7의 봉인을 풀자가 바로 인류를 보편적 깨달음을 얻도록 이끌어갈 메시아가 될 것입니다. 요한 계시록에는 이렇게 그를 묘사하고 있지요. '또 보매 다른 천사가 살아계신 하나님의 인을 가지고 해 돋는 데로부터 올라와서 땅과 바다를 해롭게 할 권세를 얻은 네 천사를 향하여 큰 소리로 외쳐 가로되 우리가 우리 하나님의 종들의 이마에 인치기까지 땅이나 바다나 나무나 해하지 말라 하더라.' 그 봉인을 풀 자가 바로 종말의 재앙 전에 인류를 구원할 메시아라고 할 수 있지요.〉

재앙, 깨달음 ,종말 , 메시아.

이런 말들은 내 인생과 연관되었던 적이 있던가?

우리가 하려는 일이 단지 '사자의 서'를 얻는 것이 아니라 그야말로 종결을 가져 오는 일이라는 것인가?

카르마의 종결! 지혜의 종결!

난 그 말들을 왜 피상적으로만 생각했을까?! 존재한 모든 인간들의 죄업과 창조된 모든 세상 지혜의 종착역이 의미하는 것.

그것은 인류역사의 종결의 의미임을 왜 이제야 깨닫는 것일까.

비숍은 계속해서 말을 이었다.

〈세도나에서 김 민군이 소신공양을 하기 전까지만 해도, 계시록에 기록된 '해 돋는데서 올라와서'에 대한 의미를 그냥 동쪽으로만 여기로 있었습니다만 그것이 해 돋는 땅인 극동의 한국을 일컫는 거라고는 꿈에도 생각하지 않았지요. 지구의 자기장의 극은 천천히 네 개로 변할 것입니다. 이것은 계시록의 '네 천사가 네 땅의 모퉁이'에 해당하는 조짐이 될 것이고 지구상의 땅과 바다를 무자비하게 찢어 놓을 거라는 것을 예언한 것입니다.〉

고승이 말했던 '고통스러운 축제'란 이것을 의미하는 것인가?

도대체 그 축제란 의미가 무엇일까? 보통 축제란 기쁜 일을 축하하는 것.

하지만 인류의 멸종이 설마 축제라는 것일까?

내가 내적인 질문에 골몰하고 있을 때 비숍이 말했다.

〈얼마 전부터 지구밖 멀리에 손님들이 와 있습니다.〉

나는 정신을 가다듬고 물었다.

〈손님요? 지구 밖에요?〉

〈네, 나의 정보원들의 보고에 따르면 그렇습니다. 그들의 목적을 알 수가 없습니다. 무얼 하자는 것인지, 무작정 기다리는 것처럼 보인단 말씀입니다. 지금 와 있는 숫자로도 놀라운데 앞으로 수년 내에 대형 급의 비행선들이 3개가 서서히 접근하고 있습니다. 방향으로 보아 지구 쪽인 것 같은데 그 규모가 하도 큰 것이라 혜성인지 비행선인지 좀 더 접근해야 알 것 같습니다. 그들은 마치 지구를 관찰하듯이 정말 아무것도 하지 않고 있지요. 마치 그냥 무슨 일이 일어날 것을 기다리는 것 같다고나 할까.〉

나는 뒤틀린 감정으로 소리쳤다.

〈인류의 멸종을 기다린다구요? 아니! 관찰한다구요? 맙소사!〉

비숍은 화가 나 있는 나를 힐긋 보고는 말했다.

〈지금으로서는 무엇 때문인지는 알 수가 없습니다. 하지만 무슨 일인가가 벌어지리라는 것은 기정사실인 것 같습니다.〉

나는 그들에게 마치 확인이라도 하듯이 물었다.

〈두 분의 생각이 어떤지 궁금합니다. 이 모든 것들은 신이 계획한 것입니까?〉

나의 질문에 비숍은 지팡이에 두 손을 기대듯이 잡고는 고개를 끄덕였고 아랍노인은 나를 향해 말했다.

〈모든 것은 세상이 생겨날 때 이미 예정되었습니다. 신에게 있어 세상은 단지 언어이며 사유의 산물일 따름입니다. 우리들의 생이란 신에게 있어서는 그의 언어로 부르는 노래의 선율과도 같은 것입니다. 신은 그의 언어가 거대한 교향곡으로 울려 퍼지고 서로 공명하도록 짜놓는 작곡가 같은 존재이지요. 그는 아주 작은 부분도 놓치지 않을 만큼 완벽함을 추구합니다. 그 속의 피조물들은 그가 만든 완벽한 박자의 음표 같은 것입니다. 그래서 모든 존재들은 세상이 생겨날 때부터 서로 공명하는 것입니다. 우리 모두는 무의식에서 하나의 선율을 가진 교향곡의 일원임을 알고 있지요. 마치 꽃이 피었다가 지는 그 시작과 끝을 우리가 너무나 잘 알고 있듯이 신에게 우리들이란 그런 존재입니다.〉

아랍 노인의 말에 이어 비숍이 덧붙였다.

〈독일의 철학자 데카르트는 모든 것을 의심한 후 의심의 여지가 없는 단 한가지의 진리를 깨달았는데 그것은 자신이 지금 생각하고 있다는 것이었죠. 그리고 그는 신에 대해 이렇게 말합니다. '나는 생각하므로 나를 창조한 신도 생각한다.' 우리 모두는 수행을 통해 나처럼 신성과 같은 존재가 될 수 있습니다. 그러나 그 모든 것의 시작점에 있는 창조자에게는 역시 피조물일 따름입니다. 아무리 신성이 되었다 하더라고 이미 예정된 운명을 바꿀 수 없는 이유가 여기에 있습니다. 있는 그대로 받아 들여야 할 따름이지요.〉

존재의 근원을 아는 자와 존재의 근원을 모르는 자.

우리는 어디에서 오고 어디로 가는 것인지 그 원초적 질문을 잃어버린 채 세상 속에 우두커니 홀로 버려진 미아처럼 존재적 불안감의 이유를 매번 보이는 것들에게 묻고 살았다.

무엇으로도 채울 수 없는 공허함과 고독감은 존재의 근원을 모르는 자들에게는 당연한 것이 아닐까? 나처럼.

신은 나에게 어떤 높이와 길이를 가진 음표를 부여한 것일까?

나의 음표는 위대한 교향곡에 어느 부분일까?

나는 과연 부여된 나의 음가를 해내고 있는가?

나는 비숍을 향해 물었다.

〈비숍, 당신은 여기, 알혼섬에 오신 이유가 무엇입니까?〉

〈나 역시 김 민군의 소신공양의 끈을 잡고 여기까지 왔습니다. 하지만 아주 오래전 이곳에 한번 온 적이 있었지요. 당신들의 목적지가 이 곳이라는 것을 알았을 때 나는 1908년에 이곳에 왔던 일을 기억해내었습니다. 그리고 이제와 생각해 보니 어쩌면 그 사건은 오늘 여기에 오게 된 결과와 별개의 것이 아닐 것이라는 생각을 했습니다.〉

〈여기에 오신 적이 있으셨다구요? 왜, 무엇 때문이었습니까?〉

비숍은 긴 그의 인생사에서 한 장면을 뇌리 속에서 끄집어내어 먼 과거의 시공간에 동공의 초점을 맞추었다.

〈1908년, 역사적으로도 풀지 못한 미스터리한 사건이 일어났었지요. 당시 한참 공산주의 사상이 유럽 전역으로 퍼져 나가고 있던 시점에 이곳 바이칼의 북서쪽에 위치한 퉁그스카의 침엽수림평원에서 어마어마한 폭발사건이 있었습니다. 거대한 오렌지색의 둥근 불덩이가 서쪽 하늘에서 동쪽 하늘로 날아가 퉁그스카의 상공위에서 터졌는데, 그 위력이 핵폭탄의 1500배였고 10메가 급의 폭탄과 맞먹을 정도였지요. 그 폭발은 주변국들의 밤을 환하게 밝힐 정도로 대단한 것이었습니다.〉

부엉이 선배가 이야기 중간에 끼어들었다.

〈네, 어느 책에서 본 내용입니다. 그 여파로 수백 킬로미터 떨어진 곳의 기차가 탈선할 정도로 진동이 컸다고 들었습니다만.〉

〈네, 맞습니다. 그런데 이것을 두고 여러 가지 추측들이 난무했습니다. 나는 나의 연구원들에게 사건의 진상을 찾도록 명령했지요. 일주일내에 올라온 보고서를 본 후, 나는 그것을 확인하기위해 직접 이르크츠크와 바이칼호수를 방문했었습니다.〉

나는 궁금해졌다.

〈보고서에 쓰인 폭발의 원인이 무엇이었습니까?〉

〈폭발의 주범으로 과학자 테슬라를 지목하고 있었습니다. 나의 연구원들 이외에도 몇몇의 학자들이 테슬라를 범인으로 추측했었지요. 당시 테슬라는 실험을 하고 있었는데, 그는 지구 자체를 하나의 거대한 배터리로 사용할 수 있는 프리에너지 연구를 하고 있었습니다. 모두들 테슬라코일을 알고 계실 것입니다. 그런데 나의 수행원들이 그의 행적을 추적한 결과 웬일인지 폭발 사건이 있기 며칠 전에 이르크츠크행 기차를 탔다는 것을 알 수 있었습니다. 보고 내용에 따르면 테슬라가 지구의 대기에 있는 수증기의 층을 마치 콘덴서처럼 이용하여 전기를 만들어 낼 계획을 세웠다는 것입니다. 그는 전하가 뾰족한 곳으로 모이는 특성을 이용하여 집전기로 활용할 적당한 기계 제작을 하던 중에 그런 용도에 적합한 거대한 건축물을 발견했습니다. 그것은 이집트에서 약탈되어 세계 각국의 광장에 서 있는 오벨리스크입니다. 이 오벨리스크는 마치 그런 역할을 하도록 만들어진 양 정확하게 그의 용도목적에 부합했고 더욱이 나의 연구원들이 놀라운 발견을 하게 되었는데, 오벨리스크의 뾰족한 끝부분이 Electrum(호박금)이라고 하는 금과 은의 합금으로 되어 있다는 사실입니다. 이 엘렉트럼이라는 말은 호박에 모피를 문질러 마찰 전기가 주변의 물건을 끌어당기는 힘을 갖는다는 것을 발견하고 붙인 것으로 electric(전기)의 어원이 되었습니다. 테슬라는 아마도 이보다 더 완벽한 집전기를 없을 거라도 여겼었던 것 같습니다. 그리고 1908년 6월 30일 밤에 오벨리스크의 하단에서 전하의 이동을 가져올 초음파를 쏘아 올렸습니다. 이르크츠크 오벨리스크 위 상공의 수증기층에서 어마한 양의 전하가 모아지고 이 에너지는 아인슈타인의 일반상대성의 원리에서 명시하듯 방향이 곡률로 시공간이 휘어져 나타나므로 바로 오벨리스크로 떨

어진 것이 아니라 휘어서 퉁그스카 지역으로 떨어진 것이지요.〉
비숍의 이야기에 빠져 듣고 있던 그때, 우리들은 동시에 놀라서 일어섰다. 그것은 우리 쪽 막사에서 이상한 일이 벌어 졌기 때문이었다. 테슬라가 만들어낸 어마어마한 불덩이의 이야기를 듣고 있던 터라 더욱 놀란 우리들은 우리 막사 위쪽으로 거대한 백색의 발광체가 떠 있는 것을 목도했다. 그것을 자세히 보니 마치 전기가 뭉친 듯이 작은 빛의 선들이 서로 얽혀있는 형상으로 또 하나의 태양처럼 신비스럽게 빛을 발산하였다.
〈도대체 저게 뭐지?!〉
우리들이 현상에 압도되어 공황상태에 놓여 있을 때, 비숍이 눈을 크게 뜨며 탄성을 내었다.
〈메시아의 빛!〉
나의 관자놀이에서 전기가 찌르르 거리는 감전의 느낌이 번뜩였다.
〈메시아··· 라구요?!〉

이 사라!
그녀가 이번 일에 무슨 역할을 하는 것인지 생각해 보지 않았었다. 그냥 그녀는 불교의 수행자이니까 우리와 동행한 것이겠거니 했었다. 그런데
그녀가 메시아?!

모두는 거의 달리다시피하여 서둘러 우리 쪽 막사로 이동하였다. 우리 막사 쪽의 앙카 스님, 남게이 스님과 이지스도 역시 놀라서 서 있었다.
이 사라, 그녀는 우리가 다가갔으나 미동도 않고 나와 부엉이 선

배가 흰색 막사 쪽으로 향할 때 취했던 명상의 자세 그대로 그 자리에 조용히 앉아 있었다. 두 눈은 반쯤 반개했지만 눈동자는 현실의 것이 아니라 다른 세상에 가 있는 눈빛이었다.

그녀 앞쪽 1m가량에 신묘한 백색의 빛 덩어리는 점점 더 그 빛을 발하였다.

나는 다급하게 앙카 스님께 물었다.

〈스님! 도대체 무슨 일입니까?!〉

그 빛을 응시하고 있던 앙카 스님은 톤이 없으나 뚜렷한 발음으로 대답했다.

〈신성발현입니다.〉

그러는 사이에 아랍노인과 비숍이 마치 약속이나 한 듯이 이 사라씨가 앉아 있는 반대편에 삼각형의 구도를 이루며 자리에 앉더니 일제히 명상에 들어갔다.

우리 모두는 조용히 그들이 하는 행동을 지켜 볼 수밖에 없었다. 그들의 영혼은 이미 현상계에 있지 않았다. 깨달음의 경지를 모르는 보통의 인간들이 감히 번접할 수 없는 세 사람의 삼각형구도에서는 요상스럽게도 들뜬 듯 하면서 금방이라도 심장이 상승할 것 같은 강렬한 기운이 느껴졌다.

잠시 후 놀라운 일이 벌어졌다. 비숍의 이마에서 1m가량 떨어진 허공에 빛나는 백색의 발광체가 발현했다. 그 발광체와 이 사라의 발광체가 마치 술래잡기를 하듯이 오른쪽으로 빙글빙글 돌기 시작했다. 곧이어 아랍노인의 이마 1m 앞쪽의 허공에서도 둥근 양감을 가진 흑색의 빛을 발하는 덩어리가 나타나더니 역시 두 개의 발광체들과 어우러져 그들이 앉아 있는 삼각형 구도의 중간쯤에서 돌기 시작했다.

세 개의 발광체들은 오른쪽으로 점점 더 빨리 돌더니 하나의 둥근 발광체로 뭉쳐져서 돌기 시작했다. 그 발광체의 여파가 점점 커지더니 이윽고 타이가의 숲을 휩쓸 것 같은 거대한 회오리처럼 그 덩치가 늘어났다. 모두들 발광체의 회오리에 휩쓸리지 않으려고 안간힘을 썼다.

나는 땅에 넓적 엎드려 발광체 덩어리가 만들어 내는 강렬한 힘에 저항하고 있었다. 하지만 발광체는 소용돌이 속으로 모든 것을 집어 삼키고 있었다. 나는 필사적으로 엎드려 있었고 갑자기 모든 중력이 사라진 것처럼 들려져 텅 빈 공간으로 내동댕이쳐졌다고 느끼는 순간, 발광체의 드센 소용돌이가 사라졌다.

모두들 엎드려 있다가 자리에서 천천히 정신과 몸을 추슬러 보았지만 주변의 보이는 풍광에 공포감으로 휩싸일 수밖에 없었다.

그곳은 마치 전혀 다른 행성처럼 끝도 없이 펼쳐진 붉은 사막의 한가운데였다. 하늘은 붉은 빛깔을 띠고 있었고 끝도 없는 붉은 땅에는 풀 한포기도 찾아 볼 수 없었다. 그야말로 불모의 땅이었다.

이곳은 전혀 다른 시공간일까?

아니면 신이 사는 곳일까?

이런 이상스런 곳으로 우리를 이동시킨 세 명의 깨달은 자들은 여전히 깊은 명상에 빠져 있었다.

나는 사방을 경계하며 앙카 스님께 물었다.

〈스님, 이곳은 어디입니까?〉

앙카 스님은 날카로운 눈으로 하늘을 살피며 말했다.

〈아무래도 지구의 에테르체로 들어 온 것 같습니다.〉

〈지구의 에테르체요? 그것은 무엇입니까?〉

〈인간으로 본다면 육신이 아닌 마음 안에 들어와 있는 것입니다. 인간들이 들어와서는 안 되는 차원입니다. 어서 저 세 분들을 깨워할 것 같습니다.〉

앙카 스님의 의견에 따라 우리들은 삼각형 구도 속에서 꿈쩍도 없이 앉아 있는 세 사람을 깨웠다. 그들은 마치 깊은 꿈속에라도 여행을 다녀온 사람들처럼 홀연하고 아득해 보이는 눈빛으로 깨어났다.

부엉이 선배가 이 사라씨의 상태가 걱정되어 물었다.

〈이 사라씨! 괜찮은 것입니까?〉

이 사라씨는 고개를 끄덕였다.

막 깨어난 비숍이 말했다.

〈이곳에서 지체할 수 있는 시간이 그리 많지 않습니다. 이곳은 생명체가 존재할 수 없는 공간입니다. 당신들이 무엇을 찾는 것이라면 서둘러야 할 것입니다!〉

붉은 사막만이 펼쳐진 이곳에서 도대체 무엇을 찾는단 말인가?

존재감각마저 둔해져 불안감이 엄습해왔다.

하지만 일행들은 비숍과 아랍노인을 필두로 하여 아무것도 없는 붉은 빛 하늘을 가진 붉은 사막을 한참동안 걸었다.

붉은 사막이 끝나는 곳에서 우리는 붉은 빛 바다를 만났다.

그리고 그 바다가 육지와 맞닿는 지점에 거대한 붉은 구체가 나타났다. 붉은 색의 암석으로 인공적으로 만들어진 것이었다. 인적은 물론, 생명체의 기미가 전혀 없는 불모의 땅에 인공구조물이라니!

구체의 외벽에는 두 마리의 뱀이 서로 꼬여 올라가는 조각이 여러 개가 새겨져 있었다.

붉은 바다가 펼쳐진 바다 멀리에는 일렬로 배열된 7개의 붉고 울퉁불퉁한 거대한 돌기둥들이 희미하게 보였는데 그 높이가 육안으로 보아도 거의 100m는 될 것 같았다.

아랍노인이 눈앞에 나타난 거대한 구체를 올려다보며 말했다.

〈저것입니까? 당신들이 찾고 있는 것이?〉

앙카 스님은 구체를 향하여 합장을 하였다. 그리고는 입을 열었다.

〈또 다른 제왕이었던 징기스칸의 무덤입니다. 이 안에 우리들 모두가 각각 찾고자 하는 것이 있을 것입니다. 우리 모두는 이 임무를 위하여 예정된 인물들입니다.〉

앙카 스님을 쳐다보며 아랍 노인이 말했다.

〈그렇다면 일단은 저 안으로 들어가야 한단 말이군요.〉

앙카 스님은 아랍 노인에게 합장으로 말을 대신했다.

아랍 노인은 눈을 감고 두 손을 앞으로 내밀어 무엇인가의 질감을 느끼듯이 손가락을 비비는 행동을 하더니 말했다.

〈이 구체안에 누군가 암흑의 결계를 친 것 같은데 그 결계가 깨어진 듯합니다. 나는 지금 이 속을 채우고 있는 암흑물질과 공명하고 있습니다. 암흑물질의 결계는 그렇게 쉽게 깨어지지 않습니다만 아마도 어마어마한 에너지 파에 영향을 받은 것 같습니다. 핵폭발 같은……〉

아랍 노인은 퉁그스카 폭발을 의미하는 듯 말꼬리를 흐렸다.

그리고는 아랍 노인은 두 손을 다시 앞으로 내밀고 무언가 주문을 외우며 손을 위 아래로 휘저었다. 구체의 윗부분에서부터 검은색의 연기들이 빠져 나오기 시작하였다. 이 검은 연기들은 마치 살아 있는 새처럼 우리들의 사이를 빠르게 날아다니며 심지어 일행들을 공격하듯이 밀치고 위협하듯 날아오기도 하였다.

이에 아랍 노인은 큰 목소리로 소리쳤다.

〈이 물질들은 차원이 다른 물질이므로 이 지구의 차원에서는 힘이 약합니다! 암흑의 물질들은 빛의 물질들을 흡수하지만 두려운 기운에 압도당하지 않는다면 이 물질이 우리를 헤치지는 않을 것

입니다!〉

모두들 위협하듯 날아다니는 검은 연기들을 바라보며 애써 의연하려 하였다. 이윽고 아랍 노인은 주문을 외우며 두 손으로 마치 연기들을 조정하는 듯 그물을 잡아당기듯 잡아끄는 동작을 힘차게 하였다.

그러더니 검은 연기들이 우리들을 각각 감싸 들어 올렸다.

모두들 자신들도 모르게 소리를 지르자, 아랍 노인이 경고하듯 소리쳤다.

〈절대로 두려워 마십시오! 이것들은 지금 나와 공명하여 나의 의견에 따라 움직이고 있습니다. 구체 안으로 이동할 것이니 소리치지 마십시오!〉

우리는 검은 연기에 몸을 맡기는 수밖에는 별 도리가 없었다. 구체의 윗부분에는 커다란 둥근 모양의 구멍이 나 있었는데 입구인 듯 보였다. 검은 연기들은 빠른 속도로 우리들을 옮겨 놓았고 모두들 필사적으로 소리치지 않으려 굳게 입을 닫고 있었다.

먼저 구체 안에 도착한 비숍이 둥근 모양의 환한 등을 손에 쥐고 있었는데, 그것이 등인지 그가 만들어낸 발광체인지 분간할 수가 없었다. 어쨌든 그 빛은 구체 안을 밝힐 만큼 환했다.

일행들이 하나, 둘 안으로 안전하게 옮겨졌다. 구체는 안이 텅 빈 형태로 깎여서 조각 되어 있었는데 빛에 드러난 윗부분으로 보아서는 구불구불한 암석의 그물처럼 조각이 되어 있었고 놀랍게도 바닥 부분에서부터 구체의 중반까지는 삼층으로 된 인공물이 있었다.

그것은 부드러운 둥근 형태로 벽돌을 쌓아 올려 만든 탑이었는데 그 벽돌마다 문자인지 문양인지 모를 알 수없는 것들이 새겨져 있었다.

검은 연기에 의해 이동할 때 얼핏 탑의 위쪽에서 내려다본 모양은 마치 만다라의 문양을 본뜬 것처럼 구체의 바닥과 조화를 이루어 아름답고 가하학적인 도형들이 조각되어있는 것을 볼 수 있었다.

탑 아래쪽에는 마치 제단과 같은 긴 석판이 놓여 있었고 알 수 없는 문자로 된 문장이 쓰여 있었다.

아랍 노인이 석판의 문자를 손으로 만지며 해독하더니 놀라며 말했다.

〈-하늘의 빛에서 생명을 얻은 자, 빛의 세계로 돌아가나니.- 이것은 아람어로 되어 있습니다! 이것이 징기스칸의 무덤이라고 했던가요?!〉

상당한 무게의 석판을 나와 부엉이 선배, 이지스가 함께 합세하여 들어 올리자 석판상자 속에 오래된 책이 한 권 나왔다. 양피지로 만들어진 것으로 보이는 책을 보자 아랍 노인은 환희에 찬 얼굴로 천천히 두 손으로 책을 꺼내었다.

그리고 떨리는 손으로 책장을 넘기며 말했다.

〈오오! 아람어로 되어 있어! 마놀라에 버려져야 했던 이유를 이제야 알게 되다니!〉

그 소리에 비숍이 물었다.

〈그것이 '음자의 서'입니까?〉

〈네! 그렇습니다.〉

〈무어라고 쓰여 있습니까?〉

비숍도 아랍 노인도 마치 이 순간을 위해 살아온 사람들처럼 결연해보였다.

아랍 노인은 침착한 것처럼 보였으나 벅찬 듯이 몰아쉬는 숨소리에서 그의 심정을 알 수가 있었다. 그는 첫 장에 기록된 글을 해독하기 시작했다.

〈때가 올 때까지 알려지지 않아야할 진리를 내가 말하노니 이것을 보는 자여! 이제 때가 되었음을 알라. 7번째 시대가 막을 내릴 것이니 이것을 보는 음자의 현자여! 그것에 대비하고 준비하라. 땅의 시대는 본디 12개인데 가장 빛나는 7의 시대가 끝나감이라. 이것을 보는 자여! 그대들이 처음 보는 환란이 그대들의 시대만큼 계속되어 모든 생명의 씨를 말리고 거룩한 종족의 대절멸이 눈앞에서 펼쳐질 것이다. 그제야 8번째 시대가 도래하리니 기억하라! 생명은 생명이 태어나는 것을 보면서 지는 것이 진리임을. 명심하여 새기라. 나머지 다섯 시대의 봉인은 빛나는 7의 종족이 풀지 않을 것이니.〉

그리고 그는 다음 장을 넘겨 천천히 읽어 내려갔다.

〈너희가 니 안에 품은 빛나는 빛알을 낳으면 그것은 너를 구할 것이나 그것을 낳지 않으면 그것은 너희를 파멸 시킬 것이다. 빛알은 우주의식의 공명자임을 기억하라. 어둠은 빛알이 있어야 살고 빛알은 어둠이 있어야 사는 진리이니라.〉

아랍 노인은 책의 제일 마지막 장을 펼쳐 읽어 내려갔다.

〈땅의 13번째 시대는 검은 태양과 더불어 8번째 안식을 맞으리라. 빛과 어둠은 같은 얼굴의 다른 이름이니 빛이 12번 모이면 13번째는 어둠의 이름을 쓰리라. 13의 세상은 파멸이 아니라 거룩한 안식임을 너희가 어찌 알랴. 유한은 무한으로, 존재는 비존재로, 혼돈에서 안식으로, 음자의 어둠은 근원의 아버지인 없음이니라. 우주는 본디 빛의 꽃을 피우는 작은 씨앗의 어둠에서 시작되는 것을, 어찌 현생의 일과 다르다고 하겠는가. 우주는 너희이고 너희가 우주인 것이 이런 이유에서이다. 피워진 빛의 꽃이 작은 씨앗의 어둠의 세상으로 다시 돌아가는 것이 세상의 원리임을 음자의 현자

여! 깨달을 지어다.〉

내용의 심오한 뜻을 나는 이해할 수 없었지만 아랍노인과 비숍의 표정을 보는 것만으로도 이것이 그들이 찾고 있었던 진리임을 느낄 수 있었다.

그리고, 기현상이 일어났다.

고대의 문자를 해독하여 마지막장을 읽고 나자, 둥글게 쌓아 올린 삼층석탑의 벽돌들에 새겨진 글자에서 빛이 흘러나오기 시작하였다. 그 빛은 마치 어떤 진동이나 어떤 선율과도 같이 시각뿐만이 아니라 촉각과 미각, 후각과 청각까지 아울러서 총감각적으로 전달되어졌다. 그 빛은 마치 살아 있는 객체처럼 느껴졌는데 다정하면서도 위로가 되는 말을 걸어오는 것처럼 느껴졌다. 빛에서는 부드러운 맛과 냄새, 촉감이 느껴졌고 심지어는 언어적 전달이 아님에도 불구하고 어떤 부드러운 이야기를 들려주는 느낌이었다. 태어나서 이런 희한한 느낌을 단 한 번도 느껴 본적이 없었다.

빛이 뿜어져 나오는 탑의 꼭대기가 훤히 보였는데 작고 검은 사각의 상자가 놓여 있었다. 아랍 노인이 두 손을 뻗어 주문을 외우자, 상층에 휘휘 맴돌고 있던 검은 안개들이 일제히 검은 상자로 몰려들어 상자를 아랍 노인의 손위에 옮겨 놓고는 마법처럼 모두 상자 속으로 사라졌다.

〈암흑물질의 깨진 결계가 복구되었습니다. 결계는 이 작은 상자가 전부입니다.〉

그리고는 그는 상자를 이 사라씨에게 건네면서 말했다.

〈암흑물질을 결계로 사용해야하는 물질이라면 양자의 물질이 분명합니다. 이것은 아가씨가 열어야 할 것 같군요.〉

이 사라씨는 두 손으로 상자를 받아 들고는 앙카 스님을 쳐다보면서 물었다.

〈이 속에 든 것이……, '사자의 서'입니까?〉
앙카 스님은 고개를 깊이 끄덕이며 말했다.
〈네, 그렇습니다. 아마도 징기스칸이 가져간 '사자의 서'의 일부분임에 틀림이 없습니다. 이 신물을 이제 원래 있었던 호랑의 둥지인 샹그릴라로 돌려보내야만 합니다. 그것이 우리의 임무입니다.〉
이 사라씨는 상자를 받쳐 든 채로 주변의 일행들 모두를 천천히 훑어보고는 오른손을 들어 상자의 걸쇠를 열었다.
열린 작고 검은 상자 안에는 빛이 나는 백색의 안개가 작은 소용돌이를 그리며 오른쪽으로 돌고 있었다.
이것이 '사자의 서'?!
책이 아니란 말인가?
그 신비로움에 모두들 마음을 빼앗기고 있을 때, 이 사라씨가 상자의 뚜껑을 닫았다.
그 때, 아랍 노인이 나직한 어조로 말했다.
〈나는 이제야 저주스러웠던 내 존재의 이유를 알았습니다. 아가씨를 도와서 나머지 임무를 완성할 것입니다. 이 책을 받으십시오. 지금부터 이것은 당신에게 필요한 책이 될 것입니다.〉
아랍 노인은 '음자의 서'를 그녀의 발아래에 내어 놓았다. 연이어 비숍도 자신의 책인 '마리아의 복음서'를 내려놓고 그녀 앞에 무릎을 꿇고 말했다.
〈나는 오랫동안 초인인 내가 메시아가 될 수 없는 이유를 궁금해 했었습니다. 하지만 당신을 돕는 역할을 하는 것이 나의 임무임을 이젠 알 것 같습니다. 나도 당신을 돕는 것으로 내 삶을 완성할 것입니다. 내 안의 신성이 당신 안의 신성을 경배합니다!〉
그의 말에 이 사라씨도 맞받아 말했다.
〈내 안의 신성이 당신 안의 신성을 경배합니다!〉

그녀는 이전의 그녀와 달라 보였다. 표정이 더욱 무표정해진 듯 보였으나 머리에서 발끝까지 성스러운 은은한 빛의 기운이 휘감고 있어 그 주변이 환해짐을 느꼈다. 그리고 그녀의 눈빛은 마치 유리알처럼 모든 것을 반사하듯 맑게 빛나고 있었다.

그 셋에게서는 알 수 없는 강력한 느낌이 방사되어 나왔는데 그것은 마치 강한 전기력 같다고나 할까. 나의 피부가 전기에 감전된 듯이 불안정하게 느껴지면서 이상하게 들뜨는 기운을 느꼈고 심장은 피가 역류하듯이 울렁거렸다.

세 명의 깨달은 자들이 다시 삼각형 구도로 앉아 명상을 시작했다. 그들의 발광체들은 더욱더 빨리 어우러져 눈 깜짝할 사이에 지구의 에테르체에서 벗어나 타이가의 숲속, 우리들이 있었던 자리로 옮겨 놓았다.

이제가지 30년 세월을 살아오면서 쌓아왔다고 생각했던 모든 지성과 이론이 깨어졌다. 그토록 많은 지식들을 쌓으려고 수많은 책들과 씨름했고 그 이론을 실험하듯이 합당하고 논리정연하게 적용하면서 수재라고 자부하며 살아왔었다.

하지만 인간의 지혜란 신의 생각의 단지 미세한 부분에 지나지 않음을 이제 와서 깨닫게 되었다. 그렇기에 인간의 지혜란 신의 지혜가 부활하면서 소멸할 수밖에 없는 운명이었다.

'음자의 서', '마리아의 복음서', '사자의 서' 이 세 가지 보물을 손에 넣은 이 사라의 아우라는 인간의 것이 아니었다. 나는 그녀에게 물었다.

〈이 사라씨! 정말로 당신이 메시아입니까?! 당신은 깨달음을 얻어 신성발현을 한 것입니까?〉

나의 질문에 이 사라씨는 무표정한 얼굴로 이렇게 답했다.

〈제가 당신보다 조금 빨랐을 뿐입니다. 진리란 여러 가지 다른 얼굴을 하고 있지요. 우리 모두는 각자가 믿는 신념의 포인트에서 그것이 어디에서 어떻게 시작하든 결국 한가지의 포인트로 가고 있는 것이니, 세상에 틀린 자란 없는 것입니다. 학습자이며 깨달음을 얻고자 하는 구도자들만이 매시매초 존재하는 것입니다.〉

〈그 말씀은 저도 깨달음을 얻을 수 있다는 말입니까? 어떻게요? 제가……〉

〈진리는 세상 밖에 있지 않습니다. 결국은 돌고 돌아 모든 것이 자신으로부터 비롯된 것이란 것을 깨닫게 되는 순간이 옵니다. 그렇게 나 자신을 알게 되면 다른 모든 것을 알게 됩니다.〉

그랬다. 나는 돌고 돌아 여기 낯선 땅에 서 있는 나 자신을 발견했다. 30년 세월의 여정은 결국 나라는 정점으로 향하고 있었다. 이제야 돌아와 진정한 나 자신으로의 여정을 눈앞에 두고 있는 것이다.

헤겔이 말했던가, 미네르바의 부엉이는 황혼 무렵에야 날개를 펴기 시작한다고…….

3. 어머니의 메시지

티벳에서부터 몸에 이상조짐이 나타났다. 처음에는 흔한 고산병이겠거니 여겼었던 증상이 벌써 두 달째 지속되고 있었다.

시야가 심하게 흔들려 여러 겹으로 보이고 배멀미처럼 속이 메스껍고 어지러웠다. 이 증상은 계속 이어지는 것이 아니라 시간에 한 번씩 5분정도 지속되다가 없어지곤 했다.

나는 이 증상을 심적 부담에 의한 정신적 스트레스가 원인일 것이라 판단하여 두 눈을 조용히 감고 명상에 들어감으로써 시야의 흔들림을 완화시키곤 했지만 반복적으로 나타나는 증상은 완전한 제어가 불가능했다. 오히려 나는 증상에 익숙해져 가고 있었다.

이런 나의 신체적인 이상은 운명의 운반자들이 겪고 있는 맘고생에 비하면 하잘 것 없는 증상에 불과한 것이었다.

나는 단지 마음을 크게 열고 모든 일들을 받아들일 준비를 하였다. 어떤 일이 생기더라도 그것이 내 운명임에 고개를 끄덕이며 긍정할 수 있기를 바랬다.

그렇게 마음먹고 난 이후, 모든 것이 난생 처음으로 다가오는 일들이었지만 역할을 맡은 아바타처럼 어떤 일에도 순응해갔다.

그리고 결국은 이역만리인 여기 바이칼호수의 한 자락, 칠흑 같은 어둠에 휩싸인 시베리아 벌판 한 귀퉁이에까지 나의 운명을 뒤밟아왔다.

눈앞에는 거의 다 사그라들어 가는 벌건 모닥불이 타고 있었다. 그 맞은편에는 벌써 몇 주째 불면의 밤을 보내고 있는 앙카 스님이 가부좌를 틀고 두 손은 다소곳이 맞잡아 자연스럽게 가부좌를 튼 다리위에 올려놓고는 눈은 나직이 모닥불을 응시하고 있었다.

막사에서 곤함에 찌든 일행의 코고는 소리가 고요한 바이칼호수 위로 울려나가고 그 소리를 무슨 악기 연주 듣듯 귀를 기울이며 나와 앙카 스님은 말없이 모닥불 가에 앉아 있었다.

그렇게 시베리아의 칠흑 같은 밤 속에 파묻혀 우리 두 사람은 소리들만이 전달하는 현실성에 힘들게 기대어 있었다.

침묵하던 앙카 스님이 나를 올려다보며 설득하듯 말했다.

〈사라양, 내일부터 힘들어 질 수도 있을 텐데 한 숨 자두는 것이 좋겠습니다.〉

나는 모닥불을 응시하던 눈을 들어 앙카 스님을 쳐다보며 말했다.

〈저도 오늘은 잠을 이룰 수가 없어서요. 모든 것이 꿈을 꾸듯 현실감각이 없어져 무슨 이야기 속에 들어와 있는 것 같은 느낌이에요. 여기, 내 인생과 전혀 상관없었던, 낯선 이 벌판에 와 있다는 사실부터가 그래요. 〉

듣고 있던 앙카 스님은 붉은 숯불이 되어 버린 장작더미 너머로 벌겋게 달아오른 내 얼굴을 보며 말했다.

〈나무가 뿌리와 줄기와 잎과 꽃으로 이루어져 있으되, 모든 것이 하나라고 느끼지 못한다면 자신이 나무라는 존재의 본질조차 인식하지 못하게 되는 것이겠지요. 뿌리의 삶을 살다가 꽃의 삶을 알아간다는 것은 세상이 뒤집힌 것처럼 어렵고 힘든 일일 것입니다. 하지만 자신이 한 나무라는 사실을 알아내기 위한 의미 있고 가치 있는 일임에는 틀림이 없을 것입니다.〉

그의 이야기는 분명 상징하는 바가 있겠지만 깨달음을 얻지 못한 어리석은 중생에게는 너무나 어렵고 먼 남에 나라 이야기일 뿐이다. 이런 내가 과연 저들이 말하는 막중한 일을 해 낼 수 있을까?

앞으로 다가올 어떤 것에도 두려움은 없었지만 저들이 믿는 만큼 나는 나 자신을 믿고 있는 것일까?

나는 나 자신을 없애려한 사람이 아니던가?

김 민 씨의 소신공양이후, 한 치 앞을 볼 수없는 막막한 이 상황에 아무런 계획 없음이 계획인 원정대에 일원이 되어 죽음을 각오한 여행에 동반했을지라도 나는 진정으로 그것이 궁금해졌다.

〈앙카 스님은 제가 이 일을 해내리라 믿으십니까? 무슨 근거로 저를 믿으십니까? 저는 스님들처럼 깨달은 자도 아닙니다.〉

앙카 스님은 부쩍 핼쑥해진 얼굴을 하고 있었지만 그의 맑고 큰 눈동자만은 성스러웠다. 그의 눈동자를 바라보면 그가 육신의 힘이 아니라 경건한 영혼과 신념의 빛나는 힘으로 버티고 있다는 것을 알 수 있었다.

〈사라양, 운명의 설계는 인간이 결정하는 것이 아닙니다. 그것은 죽음의 순간을 인간이 결정할 수 없는 것과 같습니다. 그것은 인간 세상을 지배하는 힘이지만 인간의 능력 밖의 성스러운 힘에 의해 이루어집니다. 나는 곧 사라양이 최초의 파동임을 알아차리는 날이 올 것이라고 생각합니다. 그리고 그 파동이 세상의 경계에서 다른 파동으로 전이되는 거대한 임무를 수행하게 될 것이라고 생각합니다. 다시 말하지만 운명의 설계는 이미 예정되어 있습니다.〉

나는 지금이 솔직하게 마음을 고백할 때라는 것을 알았다.

〈사실…… 제가 이 운명의 운반을 하기로 결정한 것은 단 한 가지 이유입니다. 앙카 스님이 말씀하셨죠. 어머니가 기다리고 계신다고 그리고 그 어머니의 말을 들어야한다고…….〉

앙카 스님은 나의 말을 이해하겠다는 듯이 고개를 끄덕였다.

〈아까, 돌아가신 대 스승님의 이야기를 들려주었지요? 대 스승님께서는 영적인 눈으로 이 지구상의 영적인 존재들과 교감하는 능력을 가지셨던 분이셨습니다. 그 뿐만 아니라 대 스승님께서는 앞날에 대한 비범한 통찰력을 가지고 계셨었죠. 스승님이 돌아 가시기전, 몇몇의 승려들에게 앞으로 다가올 거대한 일에 대한 예언을 하셨습니다. 우리들이 해내야할 임무이기에 그것에 대해 볼 수 있었다고 말씀하셨습니다. 우리 수호자들은 그날 대 스승님으로부터 너무나 두렵고도 성스러운 임무를 부여 받았습니다.〉

나는 다그쳐 물었다.

〈도대체 스님들이 모두들 쉬쉬하고 있는 미래의 예언이란 무엇입니까?〉

〈그것은 제가 발설할 수 없는 비밀입니다. 하지만 이것은 분명이 말씀드릴 수 있습니다. 사라양은 어머니의 메시지를 들으실 것입니다. 그리고 그 메시지를 세상 모든 이들에게 알리는 것이 사라양의 임무이자 운명입니다. 제가 말씀드릴 수 있는 것은 여기까지입니다.〉

그렇다면 되었다. 그것만으로도 이 일을 할 수 있는 단 하나의 이유가 될 수 있었다.

나는 제차 앙카 스님으로부터 확인을 받고 약간 동요가 되었던 마음을 다 잡았다.

앙카 스님은 연이어서 말했다.

〈우리 수호자들은 오래전부터 고대종교와 고대언어와 오래된 지명들에 숨겨진 예언과 비밀들을 연구해왔었습니다. 대 스승님의 예언이 있기 전에, 장차 '사자의 서'와 연관된 운명의 종결자가 여성임을 알게 된 계기가 있었습니다. 그리스신화에서 제우스의 명을 받아 세상을 정리하고 인간을 흙으로 만들도록 명령받은 자가 있었습니다. 그는 거인 프로메테우스(Pro-metheus)이지요. 그는 동생인 에피메테우스(Api-metheus)와 함께 세상을 정리하고 피조물들에게 선물을 나누어 주었지요. 하지만 선물이 동이 나자 인간에게 줄 선물을 위하여 프로메테우스는 제우스가 금지한 신들의 불을 훔쳐다가 인간에게 선물하게 됩니다. 그 벌로 프로메테우스는 코카서스 산에 묶여 독수리에게 3천 년간 간을 쪼아 먹히는 형벌을 받게 되지요.〉

전혀 상관이 없을 듯한 그리스 신화 이야기에 나는 의아해졌다.

〈그 그리스신화는 어렸을 때 책으로 읽어서 저도 알고 있습니다.〉

〈그럴 것입니다. 워낙 유명한 이야기이니까요. 이 이야기에는 우리의 임무에 대한 비밀이 숨겨져 있습니다. 제우스는 분이 풀리지 않아 최초의 여자인간을 만들도록 대장장이 신에게 명령하고 이 여인을 판도라(Pandora)라고 이름 지었지요. ‘선물’이라는 뜻인 판도라에게 많은 신들이 각각 재능을 하나씩 선사하지요. 그리고 제우스는 이 여인을 프로메테우스의 동생인 에피메테우스에게 보냅니다. 판도라의 매력에 빠진 에피메테우스는 그녀를 아내로 맞이합니다. 하지만 판도라는 호기심으로 인해 열지 말아야한 항아리의 뚜껑을 열게 되지요. 그 항아리로부터 세상 밖으로 질병, 전쟁, 미움 등 해악한 것들이 쏟아져 나오고 그녀가 뚜껑을 닫았을 때는 ‘희망’만이 그 속에 남게 되었지요.〉

〈아……, 유명한 ‘판도라의 상자’이야기잖아요. 근데 그것이 무슨 상관이죠?〉

〈프로메테우스와 에피메테우스의 이름에서 프로(Pro)는 시작을 뜻하며 에피(Api)는 종말을 뜻합니다. 흔히들 프롤-로그, 에필-로그 이런 식으로 지금도 그 흔적들이 남아 있는 접두사이지요. 프로메테우스라는 이름 뜻은 ‘깨달음의 시작’이며 에피메테우스라는 이름

뜻은 '깨달음의 끝'입니다. 프로메테우스가 신들에게서 훔쳐간 불은 우리가 알고 있는 인간 세상의 뜨거운 불을 의미하는 것이 아닙니다. 그것은 '영혼의 불' 즉 '신성한 빛'을 의미하는 것입니다. 그래서 '깨달음의 시작'은 바로 이 신들의 불인 빛을 보는데서 시작하는 것이 아니겠습니까. '깨달음의 끝'에 인간에게 선물되는 판도라를 제우스는 '아름다운 재앙'이라고 표현했지요. 그녀는 '깨달음의 끝'에서 인간이 깨달음의 봉인을 풀 수 있는 신들의 유일한 선물이며 열쇠입니다.〉

'아름다운 재앙'이라고? 그것이 선물?
'끝이면서 시작', '고통스러운 축제' 원정대의 마지막 회의에서 고승께서 '때의 다가옴'에 대해 표현했었던 말이었다.
도대체 아름다운 것인데 재앙인 것은 무엇이란 말인가?
그리고 고통스럽지만 축제란 무엇인가?
그럼, 저들이 말하는 나란 인간은 무엇인가?

머릿속이 여러 가지 물음들로 혼란스러운 가운데 스님에게 반문했다.
〈지금, 그 열쇠가 저라고 말씀하시는 건가요?〉
앙카 스님은 고개를 끄덕이며 말했다.
〈그렇습니다. 이미 그 판도라의 상자는 민이님이 열었다고 할 수 있지요. 카르마의 봉인을 풀었으니까요. 전쟁과 질병, 미움과 시기, 해악한 모든 카르마들이 이제 지구상에 마지막 발악을 하며 만연할 것입니다. 종교적인 이유로 싸우고 인종이 다르다고 미워하며 돈을 위해 서로를 죽일 것입니다. 세상 사람들은 당신의 등장을 믿지 않을 것이며 당신의 존재를 비웃을 것입니다. 하지만, 머지않아

사람들은 당신이 그 판도라의 상자 속 유일한 '희망'이라는 것도 서서히 알게 될 것입니다.〉

갑자기 눈물이 나왔다.

그리고 가슴 한켠이 심장병을 앓는 사람처럼 아려왔다. 왜 그런지 알 수 없었다.

언제인가부터 나는 웃음도 눈물도 없어졌다고 생각했었다. 아무 감정도 없는 식물처럼 인간 군상이기를 거부하며 인간적인 감정을 철저하게 무시하고 나의 것이 아닌 것으로 만들었었다. 그런데 뜨거운 눈물이 두 볼을 타고 흘러 내렸다.

알 수는 없었지만 모든 대지 위를 포근히 덮는 함박눈처럼 오히려 차가운 나의 가슴이 따뜻해져옴을 느꼈다.

나는 오늘 처음으로 어머니와 탯줄로 연결되었던 것이 나의 뇌가 아니라 나의 가슴이었다는 것을 자각했다. 언제나 뇌가 하는 소리에 귀를 기울이던 나는 처음으로 가슴이 하는 아련하면서도 따뜻하며 애틋한 소리를 들었다.

귀로 들리는 것이 아니라 가슴으로 울려 퍼지는 소리였다. 그것은 실제로 소리가 아니었음에도 불구하고 나의 감각은 그것을 마치 언어로 그리고 소리로 받아들이고 그 방대한 의미를 해석해내고 있었다.

바로 '사랑'의 소리였다.

인간으로서 나를, 다시 다른 인간 존재들과 연결할 수 있는 열쇠는 결국 가슴과 가슴으로 흘러가는 이 무한한 사랑의 에너지였다.

내 어머니가 나에게 주었던!

그리고 잊고 있었지만 언제나 내 안에 있었던!

나는 성취주의를 양산하는 현대 사회의 시스템에 철저히 맞추어진 인간이었다. 아주 어렸을 때부터 스스로 성취해내서 얻는 만족감으로 내속에 비워진 자존감을 채워나갔고 그것이 행복이라고 학습하며 살았다.

그래서 나는 그 행복감을 계속해서 느끼기 위해 성취해야할 것들을 미친 듯이 찾아 다녔다. 그리고 성취에 방해가 되거나 쓸모없는 카드들은 펼쳐보지도 않은 채 아래로 던져 버리고 나 자신을 계속해서 높은 피라미드의 꼭대기에 올려놓으려 했었다.

시간이 지나 성장함에 따라 버려지는 카드들은 늘어났고 나는 이런 성취의 삶이 행복임을 믿어 의심치 않았다.

하지만 나의 인생시스템은 어느 순간 '탁'하고 멈춰버렸고 내가 내 것이라고 이름 지어 소유하고 있었던 성취해 놓은 삶에서 그 이유를 찾을 수가 없었다.

나는 더 이상 계속 올라 갈 수 없었다. 나는 멈춰서 무엇이 잘못되었는지를 찾았지만 그 이유는 성취에 심취한 나에게서 버려진 수많은 카드들 중에 있었다.

어쩔 수 없이 멈춰진 시스템에서 나는 한 계단 한 계단 나의 인생의 피라미드 아래로 내려가서 내가 버리고 간 카드를 찾아 헤맸다.

도대체 어떤 카드일까?

나는 살아 온 인생 전부를 다시 밟아 내려 갈 수밖에 없었다. 그 시간은 죽음과도 같이 길고 고통스러웠지만 결국 나는 지금 그 카드를 무의식 맨 아랫바닥, 가슴진흙 속에서 끄집어 낸 것이다.

나에게 아직 인간의 감정이 남아 있는 것일까? 인간으로서의 삶은 이미 오래전에 스스로 죽인 나였다.

그들에게 희망이 될 수 있다면 앞으로 인간으로서 살 의미가 있는 것이 아닐까?
나 자신조차 내팽개쳐 버린 하찮은 인생이 그들에게는 희망이라고……?!
아직은 그 실체를 알 수는 없더라도 내 존재가 희망자체가 될 수 있다면 그들을 위해 살 수 있지 않을까? 살 희망을 잃는다는 것이 어떤 것이라는 것을 알기에…….
신이시여, 이것이 나의 다르마라면 기꺼이 이 잔을 받겠나이다.

먼 바이칼호 동쪽 끝에서부터 붉은 여명이 밝아오기 시작했다.

이상했다.
염주가 하나 사라졌다. 어찌된 일일까?
한국에서 광덕사를 떠나올 때 분명히 주지스님이 똑같은 염주를 두 개를 주셨었다. 그런데 그 중 하나가 쥐도 새도 없이 사라진 것이다.
나는 미친 듯이 허둥대며 염주를 찾았다.
앙카 스님과 남게이 스님 그리고 이지스는 물을 구하기 위해 가까운 후지리 마을로 다녀오겠다고 나갔고 부엉이 선배와 이 지석씨는 아침식사의 뒷정리를 하고 있었다.
그들에게 염주의 행방을 물어 보았으나 모두들 모른다고 답했다. 그도 그럴 것이 여자인 나의 짐을 함부로 뒤지거나할 위인들은 아니었다.

나는 막사 안으로 들어가서 배낭의 짐을 모두 끄집어내어 염주 찾기에 집착하고 있었다. 배낭의 작은 주머니들과 옷가지들 사이사이를 샅샅이 뒤졌지만 염주는 찾을 수 없었다.

이윽고 거의 포기 상태에서 염주를 담아 두었던 주지스님이 주신 염주 주머니를 다시 꺼내어 들었다.

반신반의하면서도 어떤 느낌 때문에 나는 염주 주머니를 재빨리 열어 보았다.

그런데 이게 웬일인가? 그곳에서 염주 두 개가 나왔다. 나는 관자놀이가 뜨끈해져 오는 것을 느끼며 그 두 개의 염주들을 꺼내어 손바닥에 올려놓았다.

이상한 일이 아니던가? 분명 아까까지만 해도 보이지 않았던 염주였다.

눈앞에 나타난 염주의 존재에 의혹을 더해가고 있을 때, 희한한 일이 벌어졌다.

시간에 한번씩 5분정도 나타나던 메스꺼움과 시야의 흔들림 현상이 갑자기 시작되었다. 염주는 겹쳐 보이기 시작하며 초점을 잃어 4개로 보였다가는 다시 3개로 보였고 머리를 흔들며 눈을 크게 끔뻑이며 다시 염주를 노려보았을 때는 두 개로 보이더니 그 이미지의 상이 계속해서 흔들려 제대로 볼 수가 없었다. 나는 잠시 두 눈을 감았다.

증상이 사라진 후, 나는 경악하였다. 두 개였던 염주가 하나로 합쳐지는 것이 아닌가?!

염주는 처음부터 두 개가 아니었던 것이다.

주지스님이 주신 염주는 단 하나였다. 그런데 왜 나는 두 개라고 믿은 것일까?!

내가 만들어내는 또 하나의 허상을 나는 지금껏 진짜라고 믿었단 말인가?!

세상은 내가 만들어내는 환상 속에 있단 말인가?!

나는 충격처럼 느껴지는 이 사실에 눈앞에서 환한 번개가 번쩍이는 것을 보았다.

오래전부터 나는 두 개에 집착하며 살았다.

알 수는 없었지만 어렸을 때부터였던 것 같다. 연필을 사도 항상 같은 것 두 개를 사야했고 책을 사도 같은 것을 두 권을 사곤 했었다.

하지만 늘 이상하게도 그 두 개 중에서 하나가 사라졌다. 나는 거의 몇 달간을 사라진 하나를 찾고 또 찾고는 했었다. 그러나 사라진 그 하나는 끝내 나타나질 않았었다.

이윽고는 나이가 들어 옷을 사도 같은 옷을 두 벌을 사야 직성이 풀렸고 구두를 사도 같은 것으로 두 켤레를 사왔다.

하지만 사라짐의 패턴은 어렸을 때처럼 나를 패닉상태로 만들곤 했었다.

나는 이런 사라짐의 현상에 매우 불안해했었고 두 개를 같은 것으로 가져야 하는 나의 이런 증세는 거의 병적이었다.

도대체 두 개라는 허상에 빠져 산 것을 무엇 때문일까?!

나는 태어나자마자 살해된 쌍둥이 동생에 대한 죄책감으로 모든 것을 왜곡시키고 있었던 것이었다!

그런데 비가 온 뒤의 어느 날 아침, 한국에서도 한참을 떨어진 시베리아에서 바이칼호수안의 알혼섬 한 가운데에서, 나의 삶에 반복적이고 무의식적으로 일어나고 있던 나만의 환상에 대해 너무나도 갑자기 그리고 정확히 자각하게 되었다.

그 이전에는 두 개에 대한 나의 병적인 증세를 전혀 자각하지도 인정하지도 않았었다. 심지어는 정신과의사와의 상담에서조차도 나는 이런 증세에 대해 전혀 언급을 한 적이 없었다.

그런데 반복적인 나의 병적 증세와 반복적으로 일어났었던 사라짐의 현상에 대해 마치 어떤 아이디어가 별안간 떠오르듯이 알아버렸다!

도대체 내가 인식하는 세상이란 무엇인가?!

내가 보고자하는 것만으로 조작되어진 것을 나는 여태껏 세상이라고 믿으며 살았다. 그렇다면 세상은 나의 무의식이 만들어낸 이미지일 뿐이란 말인가?!

어느 누가 자신의 무의식을 모두 안다고 자신할 수 있나?!

어느 누가 나는 이러이러한 세상에 살고 있다고 감히 정의 내릴 수 있나?!

세상의 많은 지식을 공부하고 많은 학설과 이론들을 배우고 원리들을 파악하면서도 정작 환상속의 세상을 진짜세상이라고 규정짓고 똑똑한 척, 잘난 척을 하며 살았다.

나는 천천히 막사 앞으로 와서 반가부좌를 틀고 앉았다.

막사 반대쪽 아랍노인의 막사 쪽으로 부엉이 선배와 이 지석 씨가 다가가고 있었지만 나에게는 그런 것이 눈에 들어오지 않았다.
세상의 모든 이미지들이 나 자신이 만들어 조작해낸 것이라는 것을 깨닫는 순간이었다.
그리고 광덕사의 주지스님이 하셨던 말씀이 떠올랐다.

'모든 헤아림을 완전히 버리고 내려놓았을 때 불현듯 저절로 모든 것을 알게 된다.'

보여지는 산과 물조차도 나의 생각이라는 일체유심조와 불이(不二)사상의 깨달음이 물밀듯이 밀려왔다.
고통의 장애물조차 나 자신이 만들어 낸 것임을 깨닫는 이 순간, 모든 것을 긍정할 수밖에 없어지는 이 거대한 깨달음에 나는 마음이 일렁이는 것을 알았다.
그리고 그 모든 사유로부터 자유로와지기 위해 명상에 들어갔다.
명상에 들어간 지 수분 내에 두 눈 1m앞쪽에 양감을 가진 빛의 덩어리가 나타났다. 이것은 마치 살아 있는 빛의 실들이 한데 뭉쳐져 생물처럼 꿈틀거리며 신비스럽게 떠 있었다. 나는 그 빛의 덩어리를 고요히 바라보며 세상에 모든 상들이 공하다는 커다란 깨달음을 되뇌었다.
'없고 없음이라!'
그러자 갑자기 빛의 덩어리는 사라지고 사물들이 흑백 영화의 필름처럼 흑과 백으로만 보이더니 일순간에 시야가 환해지면서 모든 사물들이 사라져버리고 세상은 백색의 빛으로만 충만했다. 나는 잠시 동요가 일었지만 가만히 그 현상을 바라보았다. 이윽고 일렁이는 무지개색의 오색찬란한 빛이 쏟아지듯이 내려오더니 앉아 있는 나의 단전으로부터 거대한 에너지가 용솟음쳐 가슴과 목과 머리를 관통하여 백회를 뚫고 하늘위로 솟아올라 분수처럼 빛줄기가 머리에서 퍼져 나와 오른쪽으로 회전하며 일제히 내 주변 사방으로 쏟아져 내렸다.

그 순간은 핵폭발을 온몸으로 경험한 것처럼 드세면서도 성스러우며 평안한 에너지가 넘쳐흐름, 그 자체였다.

나는 육신을 가진 인간이 아니라 거대한 에너지 그 자체가 된 느낌이었다.

'이것도 나이고 저것도 나인 것을,
이것이 없으면 저것도 없음이라.'

나무가 나누어져 뿌리와 잎과 줄기와 꽃의 다른 삶을 살지만, 다른 차원에서 보면 단지 하나의 씨앗에서 그 뿌리와 잎과 줄기와 꽃이 나온 것이다. 그래서 모두는 다르지만 같은 것이고 같지만 다른 것이다.

무한한 바다가 나 자신이라는 것을 모른 채 파도만이 나라고 믿고 살았다. 그리고 나는 그 파도가 왜 이리 거치냐고 탓하기만 하였다. 하지만 어떤 파도가 치더라도 바다는 있는 그대로의 바다일 뿐이다.

삶에서 반복적으로 일어나는 일들은 무지의 껍질을 깨는 망치질이었으며 거친 파도로 인식한 내 고통스러운 삶은 바다인 나의 존재를 알아차릴 수 있게 만드는 열쇠였다. 이 오묘한 설계를 어리석은 나는 지금에야 깨달았다!

결국 에고의 덩어리였던 인간인 나 자신을 스스로 죽임으로서 성스로운 본성을 가진 참존재로서 부활할 수 있었다.
그것은 다시 태어난 것과 같이 새롭게 다가오는 지식들이었지만 마치 오래전부터 알고 있었던 듯이 나는 저절로 알 수 있었다.
더 구체적으로 표현하자면, 방대한 정보를 뇌속에다가 다운로드 받은 것과 같다고나 할까?
이것이 경계인가?
나는 이제 경계도달자로서 진리를 얻은 신성과 현존이라는 현상에 걸쳐 있는 인간성과의 합일점에서 균형을 잡아 가고 있었다.
놀랍게도, 신성을 우주의 크기만큼 늘려 가면 갈수록 나는 나 자신이 거대한 에너지의 파동임을 알았다. 내가 그 방대한 우주의 파동그물을 진동하자, 우주가 함께 진동하면서 모든 이의 인간성과 합일하는 것을 느꼈다.
아! 세상 모든 인간성들이 각각의 무의식속에서 나의 등장을 알아차리게 되었다.
다만 그들 각자 현존의 현상에서 인식의 장애를 겪는 것은 운명일 뿐이다.
수백억 개의 우주가운데 우리 우주가 나를 인식했다.
우호적인 우주의 에너지는 나의 일을 도울 준비를 시작하였다. 아직 운명적 파동의 일이 무엇인지 보여지지는 않았지만 그것이 우주적인 일임은 정확히 알 수 있었다.

내가 경계에서 균형 맞추기에 몰입해 있을 때, 시야에 또 다른 강렬한 빛덩어리가 나타났다. 그 빛은 엄청난 에너지를 머금고 있었는데 놀랍게도 오랜 세월을 기다린 친구처럼 낯설지 않았고 오히려 반가움의 기운이 느껴졌다. 그래서 나는 그 빛덩어리를 강하게 끌어 당겼다.

나의 빛덩어리와 그 빛덩어리는 서로 맞붙었으나 아이러니하게도 강하게 끌어당기는 만큼 강하게 밀어내는 힘을 가지고 있어서 맞붙은 상태에서 서로 챗바퀴돌듯 돌기 시작했다.

아, 어떻게 말로 표현해야하나! 이 기운!

인간의 것을 빌리자면 강한 벅참과 시작의 설레임이라고 표현하겠지만 이 기운은 말로 표현하기 힘든 그 이상의 무엇이었다.

내가 강렬한 재회의 기운에 압도되어 있을 때, 또 하나의 검게 빛나는 빛덩어리가 출현하였다. 그것은 육중한 어둠과 숨이 멎을 것 같은 두려움을 강하게 발산하고 있었다.

하지만 인간성과 신성을 함께 가진 나는 그 두려움과 공포의 대상에 대한 분별이 없었다. 이미 선과 악에 대한 변별이 인간의 것이 아니었다. 그것이 발산하는 친숙함과 향수의 기운은 먼 고향에 두고 온 오래된 옛 친구의 것이었다.

나의 빛덩어리는, 아니 맞붙어 회전하고 있는 우리 두 빛덩어리는 그 검은 빛덩어리를 강하게 끌어 당겼고 순식간에 자석처럼 밀착된 검은 빛덩어리 역시 강한 이끌림만큼 강한 밀어냄의 힘에 의해 세 빛덩어리들은 서로 맞물려 함께 돌기 시작했다.

아 아!

나는 더 할 수 없는 경외심과 더불어 이전에 느껴보지 못한 완벽한 평온함을 느꼈다.

이윽고 우리 빛덩어리들의 회전은 위로 상승하기 시작했고 점점 상승하면 할수록 강한 추진력을 가졌다. 우리들은 끝없는 공간으로 발사되듯이 날아올랐다.

그리고는 그 추진력은 어떠한 방향으로 우리를 이끌고 갔는데 그곳은 우리 셋 모두 정확히 어디인줄 아는 암묵적인 방향이었으며 오래된 언약의 장소였다.

우리 세 개의 에너지들은 이미 태양과 지구에서 인간들이 생겨나기 전부터 만들어진 에너지들이며 시스템에 의해 예정된 시간에 예정된 장소에서 재회할 것이 언약된 존재들이었다.

그리고 봉인을 풀어 세상에 알릴 임무를 완수하는 것 또한 아주 오래전에 약속된 것이었다. 그것은 마치 흑백영화처럼 빛바랜 기억으로 서서히 재생되어가고 있었다.

약속된 장소에서 그들을 재회한 나는 오래된 친구로서 인사하였다.

〈내 안의 신성이 당신 안의 신성을 경배합니다!〉

이제야 나는 알게 되었다. 최초의 파동으로서 경계의 다다름이란, 생명이라는 것을 가지고 영위하는 세상의 시작점에서 오래전 우리 모두가 함께 약속한 오래된 언약을 단지 가장 빨리 기억해내는 일이라는 것을…….

그리고 이젠 세상이 그래야 할 차례이다.

그 후, 우리 셋은 이 임무의 최종 주문자와의 언약도 재생시켰다. 그것은 인간성을 가진 나 자신의 궁극적인 사명과도 일치하는 것이었다.

그리고 나는 운명처럼 '사자의 서'에 엮어진 길고 긴 세월속의 연결 고리들이 그 최종 주문자의 의도이며 설계라는 것도 알게 되었다.

결국 긴 시간 속에서 먼 곳을 돌고 돌아 다시 제자리로 돌아가는 '사자의 서'가 인간들의 삶과 다른 점이 없었다. 우리는 언젠가는 열쇠를 찾기 위해 원점으로 돌아가야 하는 운명이었다. 그것 역시 의도된 것이며 수레바퀴를 돌리는 나와 같은 자들이 그 운명의 무게를 감내하면서 만들어낸 결과물이었다.

자, 이제 고단하고 힘들었던 긴 여정을 끝낼 때인가?
돌아갈 시간이다.

두 노인의 헬기로 우리 모두는 알혼섬을 빠져 나온 뒤 울란바토르의 징기스칸 공항에서 역시 그 둘이 제공한 두 대의 전세기편으로 안락하게 부탄으로 출발할 수 있었다.
영험하고 거룩한 거대설산 히말라야를 하늘에서 굽어보며 우리들이 부탄상공으로 진입했을 때 앙카 스님은 파로국제공항과 통화중이었다. 한 해 입국자를 만 명으로만 제한해서 받는 부탄의 상황을 알고 있었기에 모두들 그의 통화에 신경을 곤두세우고 있었다.
하지만 앙카 스님이 입국허가를 받기위해 한 말은 단 한마디였다.
〈마하칼라 왕추크 샤!〉
그것이 무슨 뜻인지 아는 데는 많은 시간이 걸리지 않았다.
파로공항에 도착한 후 우리들은 입국절차를 밟았다. 원래대로라면 인도에 있는 한국대사관에서 비자발급신청서를 제출한 후 비자 발급을 받아야하는 것이 우선됐어야 했겠지만 우리 일행이나 두 노인의 일행도 입국심사과정에서 그냥 통과되었다.
다만 맨 앞장을 선 앙카 스님이 특이한 형태의 모자를 낡은 가방에서 꺼내어 두 손으로 받쳐 들고 걸어갔을 뿐이었다. 검은색바탕에 금실로 수를 놓았고 위쪽으로는 붉은 바탕에 푸른빛이 돌며 벼슬이 꼭대기에 장식된 새의 머리모양을 한 모자였다.

그 모자를 본 입국심사검문소의 공무원들의 반응이 더욱 놀라웠는데 그들은 두 손을 공손히 모우고 마치 귀빈을 모시듯이 고개를 숙였던 것이었다.

별 탈 없이 입국심사장을 빠져 나온 것은 다행이지만 그 모자의 정체가 궁금하지 않을 수 없었다. 우리들이 3대의 미니버스가 대기해 있는 광장으로 나왔을 때, 나는 앙카 스님에게 물었다.

〈스님, 그 모자는 무엇입니까?〉

〈이 모자는 불새의 모자입니다.〉

〈불새의 모자요?!〉

〈네, 부탄의 오래된 전설속의 새이면서 부탄의 수호신 마하칼라를 의미합니다. 그리고 이 모자는 현재 왕이신 제5대 왕추크왕의 왕관이기도 하지요.〉

그의 답변에 모두들 놀라는 눈치였다. 앙카 스님은 말을 이었다.

〈우리 모두는 공식적으로 왕의 특별 입국허가를 받은 것입니다. 이 허가는 오직 왕의 명령으로만 행해집니다. 1대 왕추크왕때부터 우리 비밀수호단의 성스러운 신의 일을 위해 부과된 특권이지요.〉

나는 공항 안에서 눈에 띄게 벽에 걸려 있었던 5대 부탄 왕들의 사진들을 떠올렸다. 왕조차도 영적인 종교적 임무를 옹호하는 불교국가라는 것이 실감이 되었다.

미니버스는 산으로 둘러싸인 공항을 벗어나자 낮은 산하들이 펼쳐진 길을 달렸다. 푸르른 전나무와 소나무들이 자라는 동글동글한 낮은 산하는 한국의 지리산처럼 익숙하고 편안하게 다가왔다.

20여분 산하사이를 달리자 강 주변으로 논이 발달한 평지 지형과 민가들이 나타났는데 강을 가운데 두고 낮고 조용하게 펼쳐진 농촌이었다. 좀 더 들어가자 산허리를 따라서 2층에서 6층 정도로 반듯하게 정사각형으로 지어진 특이한 집들과 관공서나 사원인 듯

한 크고 아름다운 건물들이 보였다. 건물들에는 부탄어인 종카어와 영어를 혼용해서 간판을 달았는데 그들은 영어를 공용어로 쓰고 있었다.

한국의 아담한 시골 농촌 같은 풍광의 마을에는 부탄의 전통의상을 입은 남녀 학생들이 학교가 파했는지 가방을 메고 신나서들 떠들어 대며 지나가고 있었다.

여성들의 윗도리는 한국의 저고리보다 허리가 길게 빠져 여미게 되어 있었지만 치마는 폭이 좁아 좀더 여성적인 매력이 드러나며 흥미로운 것은 팔 끝에 다른 천을 데서 만든 저고리는 마치 한국 전통의상의 끝동을 보는 듯 친숙했다.

반면 남성들은 정확히 말하자면 원피스의 구조였는데 윗저고리 부분의 소매에 끝동처리가 되어 있었고 고려시대의 복장처럼 옷깃을 여미도록 디자인 되었지만 밑으로 연결된 치마부분은 폭이 좁고 무릎을 덮는 정도의 길이였다. 그리고 다리에는 검은색 스타킹으로 맵시를 낸 것이 보면 볼수록 매력적인 전통의상이었다.

앙카 스님이 이곳을 파로시내라고 안내해 주었고 날이 저물고 있어 이곳에서 하루 숙박하기로 했다. 산하가 대부분인 이곳은 날도 일찍 저물었다.

나는 노을이 지는 파로의 저녁하늘을 바라보며 어느 도시에서보다도 편안한 느낌을 받았다. 사람들의 얼굴에서는 돈 잘 벌고 산다는 전형적인 도시인들의 냉소적인 표정이나 무관심한 듯 초점을 흐린 눈동자들은 찾아 볼 수 없었다. 그들의 눈빛에는 자연과 더불어 사는 조화로운 인간의 표정에서만 볼 수 있는 평온함과 인간애가 있었다.

그곳에는 온갖 소음 속 도시에서 허락받지 못했던 고요함과 침묵이 그들만의 방식으로 잔잔히 펼쳐져 있었다. 그것을 향유하는 즐거움은 낡은듯하지만 세상에서 가장 편한 어머니가 만들어 주신 이불을 덮고 자는 단잠처럼 달콤했다.
남의 눈을 의식한 과장된 허세와 격앙된 목청은 침묵할 수 있는 자유에 묻혀 있었다. 이곳은 그런 곳이었다.

소음공해에 의해 강요된 침묵이 아니라 스스로 원한 침묵을 음미할 수 있는 곳, 부탄.

투숙할 호텔로 들어 가기위해 기다리던 중 특이하게도 여자 호텔리어들이 짐을 옮기러 왔었지만 인원이 많은 지라 짐 역시도 많아 일행 모두가 짐을 하나씩 짊어져야 했는데 지나가던 청년 두 명이 선뜻 우리들의 짐을 들어 주겠다고 했다. 나는 괜찮다고 말했지만 자신들이 공덕을 쌓아 다음 생에는 파드마 삼바바 같은 성인으로 환생하고 싶어 그러는 것이라고 설명하면서 짐을 들어 주었다.
나는 고마운 마음이 앞서기 보다는 조금 충격적이었다. 대도시의 삶에 너무 찌들었던 것일까. 누군가 도시에서 이런 행동을 한다면 오히려 강도로 생각하고 화를 낼 수도 있는 상황이었다. 하지만 이곳의 국민들은 영적인 성숙을 위해 지금을 희생해야한다는 생각을 가지고 해탈을 위한 종교적 삶을 영위하고 있었다.

그래서 그들이 행복한 것일까. 주어진 대로의 인생을 불평 없이 받아들이고 끊임없이 남에게 봉사하는 삶을 살아 갈 수 있게 만드는 힘.

수레바퀴를 돌리는 운명을 받아들인 나는 과연 인간성과 신성의 합일을 어디에서 찾아야하는가? 내가 아는 것을 다른 인간들과 어떻게 나눌 것인가?

나는 이곳에서 경계도달자로서 처음으로 많은 고민을 하였다. 이미 종교조차도 돈을 신으로 숭배하는 금전신의 세상에 영적인 성숙과 인간애 회복을 어떻게 가져 올 것인가?

나는 부탄의 사람들을 보면서 영적인 각성보다도 훨씬 큰 것을 배웠다.

이곳은 세계의 어느 도시보다도 빛나는 도시였으며 영적으로 진보된 도시였다. 나는 단지 몇 분을 보낸 이곳이 우리가 꿈꾸는 이상향의 마지막 샹그릴라임을 믿어 의심치 않았다.

다음날 아침 일찍 식사를 마친 후 일행은 미니버스로 탁상사원으로 향했다. 도로에 개와 소들이 어슬렁거려 속도를 내다가도 서행하는 것을 반복하였다. 하지만 이곳에서는 개와 소들을 집에다가 묶어서 기르지 않는 것처럼 보였다. 남들이 빠른 성장을 모델로 할 때 오히려 느림을 자신들의 모토로 내세우는 이 나라가 신기하지 않을 수 없었다.

미니버스에서 내린 일행들은 탁상사원으로 가는 산의 초입에 다다랐다. 짐들은 말을 빌려 싣고는 모두들 걸어서 산행을 시작하였다.

산행은 두 시간 가까이 해야 하지만 대개의 사람들은 말을 타지 않고 걸어서 올라갔다.

앙카 스님의 말로는 우기에 접어들어 비가 많이 올 시기이지만 그래도 오늘은 운이 좋게도 날씨가 맑다고 했다. 비가 오게 되면 비포장인 이 산길은 진흙과 물줄기 때문에 거의 고행의 수준이라고 했다.

약간의 관광객들과 부탄인으로 보이는 몇 명이 섞여서 함께 산행을 했는데 그 중에 한 할머니는 기도바퀴를 돌리며 안 그래도 힘든 산행을 '옴 마니 반 메훔'을 외우며 올라가고 있었다. 그들은 마치 수도사들처럼 묵묵히 걸어서 신성한 성지로 올라가고 있었다.

올라가는 중에도 관광객들의 짐을 들어 주겠노라고 하는 부탄인들을 볼 수 있었다. 저 멀리 대도시에서 온 문명인인 관광객들은 모두 처음에는 나처럼 당황하다가 다음에는 감동이 밀려오다가 그 다음에는 경건해지고 숙연해 질 것이다. 그리고 다시 도시로 돌아간 후에는 이곳을 그리워 할 것이다.

그리고 말하겠지, 그곳은 내 마음의 고향이라고.

수많은 구도자들이 수백 년 동안 올랐을 이 길.

그들이 디디었을 한 걸음의 발자국, 멀리 설산에서 출발하여 쉼없이 오가는 바람, 수천 킬로를 날아와 새 생명을 싹틔운 잡초들, 애써 여기까지 와야 했던 그 모든 것들, 그것이 물질적인 발로였든 영적인 발로였든 상관없이 한데 엉겨 붙어 그 길에 영험한 에너지를 더하고 있었다.

그 발산된 에너지는 또 다른 물질적 존재들과 합해져 다른 에너지를 창조해 내고 그것들이 또 다시 새로운 것들과 결합하여 전혀 다른 에너지를 재창조해냄을 거듭하고 진화에 진화를 더하였다.

물질과 에너지가 서로 순환하며 경계를 끊고 새로움을 창조해내는 이 길은 곧 우주이며 삶이며 깨달음이었다.

인간의 생각 에너지가 우주 너머의 신의 생각과 맞닿아 있는 이 길은 신성함 그 자체이며 이미 부처가 되어 있었다. 이 길에 머물러 있는 인간의 그 근원에 대한 갈망은 결국 모든 우주적 진화를 뛰어 넘을 것이 분명하였다.

근원에 대한 갈망으로 인간은 먼 여정의 여행을 마다하지 않았으며 죽음이 오가는 수많은 경계에 문을 두드리면서 그 고통의 끝이 어디냐고 울부짖었다. 세상밖에 진리가 있을 것이란 믿음으로 지구의 한 바퀴를 돌아 어느덧 원점으로 돌아 왔을 때, 드디어 인간들은 자신에게 질문하는 법을 배운다.

이런 고통을 견디면서 살고 있는 당신이란 존재는 무엇입니까?

도대체 그럼에도 불구하고 왜 죽지 않고 살고 있는 것입니까?

이 하찮은 삶에서 무엇을 얻으려는 것입니까?

온 세상 밖에서 찾고자 했던 진리는 세상에 대한 원망과 복수심만 낳았을 수 있다. 하지만 인간은 중요한 것을 배워온 것이다.

질문을 했다면 대답을 얻어야할 것이다. 결국은 자신에게 한 질문의 대답은 자신 안에서 발견해야한다.

세상에 대한 탐구를 했다면 이제 자신에 대한 탐구의 때가 온 것이다. 그것은 오묘한 설계이며 깨달음의 순서이다.

이 세상에 유전적, 생물적, 영적으로 유일무이한 나 자신에 대한 탐구는 우주에 대한 탐구가 될 것이며 곧 신에 대한 탐구가 될 것이다.

창조의 영역 속에서 그 유일무이할 수밖에 없는 나에 대한 이해는 곧 타인에 대한 이해를 획득함과 동시에 무한의 세포분열 속에서 그 시작된 근원세포와 나는 결코 같은 존재일 수 없는 개념을 이해하게 될 것이고 종국에는 한 세포에서 시작한 큰 하나일 수밖에 없는 그 거대하면서도 난해한 계획도 알아차릴 수 있을게다.

그렇게 될 것이다.

한 시간 반쯤이 걸려 'TAKTSANG CAFETERIA'라고 쓰여진 시야가 탁 트인 전망대 카페가 나타났다. 그곳은 호랑이 둥지인 탁상사원으로 가는 사람들의 발길을 붙잡을 만큼의 경이적인 장면이 연출되는 곳이었다.

눈앞에 먼 듯 가까운 듯 깎아 지르는 절벽들이 눈에 들어 왔고 그 절벽들 중에서 아슬아슬하게 제비둥지마냥 절벽의 한 가운데 아슬아슬하게 둥지를 튼 탁상사원과 만날 수 있었다. 세상 사람들이 죽기 전에 가서 보아야할 곳을 꼽을 때 이곳은 빠트리지 말아야할 기괴한 신령스러움을 가지고 있었다.

반짝이는 금빛의 네모난 지붕에 붉은색과 흰색의 페인트로 조화를 이루어 몇 채의 사원들이 연이어 가파른 절벽에 절묘하게 붙어있었다.

푸른 숲의 온갖 새들 노래 소리며 산 여기저기서 피고 있는 이름모를 꽃들과 이국적인 오색 깃발 타루쵸가 이 언덕 저 언덕을 넘나들며 곡예 하듯 걸려서 펄럭이는 이 모든 것이 한데 어우러져 그들만의 형식으로 그 보배로움을 경배하고 있었다.

〈정말로 신비로운 곳입니다!〉

나는 저절로 입에서 탄식이 나왔다.

앙카스님도 아스라하게 보이는 탁상사원을 조망하며 깊은 생각에 빠진 듯 보였으나 이내 나의 말을 받아 답했다.

〈그렇지요? 칼라카크라 탄트라 경전에는 '샴발라는 필요한 때가 되면 세상을 구원하기 위해 인류의 지혜가 시간과 역사의 파괴 및 부패로부터 보존되어 있는 곳이다'라고 쓰여 있지요.〉

나는 샴발라라는 말에 반응하며 앙카 스님에게 물었다.

〈저 곳이 정말 샴발라입니까?〉

〈사람들이 말하는 천국은 아니지만 경전에서 일컫는 샴발라는 저 곳에 있습니다. 저 곳을 당신이 올 때까지 수호하는 것이 우리 수호자들의 임무였습니다. 이제 그들 모두가 당신을 저 곳에서 기다리고 있습니다.〉

그의 말에 나는 말없이 두 손을 합장하였다. 1300년의 세월을 이어온 그들 수호자승려들의 위대함에 대한 경배며 그들의 종교적 신념에 대한 경외심이며 임무의 마지막까지 함께하여준 것에 대한 감사의 의미였다.

다시 산행은 가파른 언덕을 오르는 것으로 이어지고 오색 기도깃발 타루쵸의 터널을 지나니 폭포수가 절벽위에서 절묘하게 쏟아져 내리는 절경을 만날 수 있었다. 폭포수는 여름 산행의 땀을 식혀줄 만큼 시원스레 물줄기를 뿜어내고 있었다. 탁상사원으로 이어지는 구름다리에 잠시 멈춰 서서 바라보니 이 언덕 저 언덕을 가로지르는 오색의 타루쵸들이 마치 무지개처럼 아름답게 하늘을 수놓고 있었다.

무지개…….

무지개는 시야에는 보이나 만질 수도 없고 촉감을 느낄 수도 없다. 과학적으로는 물과 태양의 빛에 의한 단순한 현상일 따름이라고 사람들이 말하겠지만, 신성의 눈으로 본 우리들도 이처럼 존재하지만 단지 빛이 물방울에 투영된 존재들일 뿐이다.

그렇다면, 존재하는 것일까? 존재하지 않는 것일까?

둘 다 틀린 답은 아닐 것이다.

많은 의미들을 부여하는 무지개는 어떤 이에게는 희망이, 어떤 이에게는 모험심이, 어떤 이에게는 남녀 간의 사랑이, 너무나 많은 의미들이 더해져 원래의 실체보다 살이 찐 존재가 되어 있다.

하지만 어떤 인간도 무지개를 싫어하는 이는 없을 것이다.

우리 모두는 이 무지개가 언젠가는 소멸하는 것을 알고 있기 때문이다. 어떤 투쟁도 필요 없으리라. 그냥 사랑하다, 사랑받다 그렇게 사라지면 되는 것이다.

경사도가 꽤나 되어 보이는 계단을 올라 작은 동굴의 입구에 도착했을 때, 입구에서 일체의 짐을 라커에 집어넣도록 경비원이 말했고 모든 관광객들은 명령에 순응하였다. 다른 사람들이 카메라를 비롯하여 핸드폰까지도 모두 라커에 넣을 때에도 우리 일행들은 앙카 스님의 몇 마디 말에 의해 그냥 통과할 수 있었다.

수도원은 네 개의 주요 건물로 이루어져 있었는데 첫 번째 문을 통과하자 동굴처럼 생긴 내부로 미로처럼 얽혀 있었다. 이곳이 파드마 삼바바가 수행하던 장소라고 가이드들이 관광객들에게 설명하고 있었다.

모든 건축물은 암벽에 만든 계단으로 통로가 연결되었는데 어둡고 좁은 통로를 따라가니 열두 보살을 그린 탱화와 파드마 삼바바를 형상화한 불상이 있었고 향연기가 자욱한 그곳에서 사람들은 세 번의 절을 하였다.

우리 일행은 관광객 무리들과 떨어져 본당 주변의 부속 건물 중 한 곳으로 안내되어 들어갔다.

그곳에서는 20명 남짓의 붉은 색 승려복의 승려들이 우리를 기다리고 있었고 우리를 보자 일제히 일어서서 합장을 하였다. 그 중에서 주황색 승려복에 밝은 노랑색 가사를 걸치고 안경을 쓴 50, 60대로 보이는 한 승려가 유일하게 바닥이 아니라 의자에 앉아 있었는데 그 옆에는 꽤 나이가 들어 보이는 노승이 서 있었다.

그가 서서히 일어나 나에게로 걸어오자 승려들이 자리를 피해주며 길을 만들어 주었다. 나는 그를 마주하자 합장하였고 그 역시 합장을 하고 말을 꺼냈다.
〈우리 수호승려들은 구루 린포체 파드마 삼바바의 예언에 따라 그의 제자들로서 오랜 세월 그 명맥을 이어왔습니다. 선대 수호자들서부터 이어온 임무의 종결을 이렇게 맞이하니 말할 수 없이 기쁩니다.〉
〈모든 것에 감사드립니다.〉
나는 감사의 말과 더불어 가방에서 '사자의 서'가 담긴 검은 봉인 상자를 꺼내어 그의 앞에 내어 놓았다.
그곳의 모든 승려들이 일제히 상자를 주시하였고 그가 약간 떨리는 어조로 내게 물었다.
〈'사자의 서'입니까?!〉
나는 고개를 끄덕였다.
그는 상자를 들어 올리고 감격하여 말했다.
〈세상을 구원할 인류의 마지막 지혜!〉
그를 제외한 붉은 승려복의 승려들이 일제히 두 손을 합장하며 고개를 숙였다.
그 승려가 바로 부탄의 영적지도자인 제 70대 제켄포였다. 부탄은 두 명의 통치자가 존재한다. 행정지도자인 왕과 영적지도자인 제켄포가 그것이다.

제켄포와 승려들이 우리 일행을 안내해 수도원의 안쪽으로 데려갔다. 그곳에는 가로 세로 각각 1m가량의 정사각형의 철문이 닫혀 있었고 대문 가득히 커다란 수레바퀴가 그려져 있었다. 그리고 옆쪽으로는 커다랗게 영어와 종카어로 출입금지 푯말이 붙어 있었다.
대문의 오른쪽에는 숫자버튼키가 붙어 있었다. 한국에서야 아파트 대문에서 흔하디흔하게 보는 숫자버튼키 자물쇠이지만 고대의 관습이 그대로 남아 있는 이곳 부탄에서는 상당히 생경한 광경이었다.
제켄포께서 숫자버튼을 눌렀고 대문이 '띠리릭' 소리를 내며 열렸다.

대문의 폭이 워낙 좁아서 모두들 고개와 몸을 잔뜩 웅크려야지만 통과할 수 있었다. 그렇게 비좁은 공간을 지나서야 시야에 나타난 장소는 거대한 동굴이었다. 천정의 높이가 10m는 되어 보였고 공간의 넓이도 넓어 웬만한 동네 광장만 하였다.
나의 일행 모두는 입을 벌리고 놀랄 수밖에 없었다. 이 작은 문을 통과하여 어찌 이런 거대한 동굴이 이렇게 절벽 안에 숨겨져 있을 수 있는 지 의문이었다.
더 신비로운 것은 동굴 중앙에 있는 작은 연못이었다. 그 연못 안에는 죽은 고목나무가 서 있었는데 동굴의 사방 벽에서 그 나무로 오색의 타루쵸들이 이어져 있었고 나무 가지마다 마치 한국의 서낭당나무처럼 흰색의 천들이 수없이 걸쳐져 있었다.
그리고 무엇보다도 동굴의 위쪽에서부터 한줄기의 빛이 연못으로 내리 쬐이고 있었는데, 동굴 내부에 전구가 달려 있었으나 그것을 무색하게 할 만큼의 밝기였다.
모두가 다른 차원의 토끼 굴에 들어온 듯 정신을 차리지 못하고 구경에 여념이 없을 때 제켄포께서 말했다.
〈이곳은 파드마 삼바바가 수행했던 장소인 탁푸입니다.〉
나는 놀라서 물었다.
〈탁푸요? 그럼 아까 입구에서 보았던 장소는 무엇입니까?〉
〈입구의 장소는 관광객들을 위한 참배소 정도라고 해두죠. 사실은 이곳이 바로 파드마 삼바바가 수행하던 진짜 장소입니다. 탁푸란

세속으로부터 멀리 떨어져서 비밀스럽게 전승되는 수행동굴을 일컫는 말입니다. 우리가 이렇게 이곳을 경계하고 있는 데는 다 이유가 있습니다. 기록에도 나와 있듯이 이곳은 암흑결계가 있는 곳입니다. 일반인들이 드나들어 결계가 깨어진다면 우리가 사는 이 세상은 이 암흑물질의해 지워지도록 되어 있습니다.〉

〈지워져요?!〉

〈네, 그렇습니다. 기록에 의하면 이곳의 암흑결계가 깨어져 점점 세상이 어둠으로 덮여가고 있을 때 파드마 삼바바께서 흰 암컷호랑이를 타고 날아와 암흑의 존재들을 조복시키고 암흑의 결계를 바로 잡아 이곳에서 수행을 하셨다고 전해집니다. 저기 건너편에 통로가 보이실 것입니다. 그것이 암흑결계로 통하는 길입니다.〉

〈암흑결계요?〉

나는 징기스칸의 무덤 속에서 작은 상자에 봉인된 암흑물질을 경험했었다. 그것은 지능적이면서 차가우며 그 뭉침과 팽창이 자유로운 무서운 물질이었다.

나는 묵묵히 동굴의 내부를 주시하고 있던 아랍노인에게 답을 구하듯이 쳐다보았다. 그는 나의 마음을 꿰뚫어 보았고 그것에 답변하였다.

〈네 그렇습니다, 사라양. 마치 암흑물질의 세상처럼 강렬한 기운이 느껴집니다. 사실 어제부터 저는 고향에 온 기분입니다.〉

제켄포가 말을 받았다.

〈그 암흑결계 너머에 죽은 자들의 세계인 중간계가 존재합니다. 그곳이 바로 샴발라입니다. '사자의 서'의 샘물은 그곳에 있습니다. 이 상자안의 '사자의 서'는 그 샘물로 다시 보내져야만 합니다. 이것이 운명의 운반의 마지막 관문이며 최종 목적입니다.〉

이야기를 마친 제켄포는 '사자의 서'의 검은 상자를 다시 나에게 전달하였다.

아, 이제 드디어 어머니를 만날 시간인가?

나는 나의 인간성에 남아 있는 이 어머니에 대한 집착은 버리고 싶지 않았다. 아니 버릴 수가 없었다. 존재의 둥지이며 삶의 원소이자 영혼의 그림자, 어머니!

어느 누구에게나 어머니란 단어는 가슴을 먹먹하게 한다. 현생에서 영혼은 기억 못하더라도 어머니만이 줄 수 있는 세포 속 특정 요소가 그 오랜 세월 속의 기억을 가지고 있어 바보같이 기억하지 못하고 있는 영혼의 기억에 미묘한 코딩을 쏘아 올려 알 수 없는 슬픔을 느끼게 하기 때문이리라.

그것은 지구상 생명의 근원이 시작된 40억 년 된 기억이며 망각의 샘물을 마신 영혼이 그것을 기억해내지 못할 때도 우리 몸을 구성하는 세포들은 그 세월동안을 기억한다.

그 어머니의 어머니, 또 그 어머니의 어머니들이 전하는 메시지!

우리의 기억력은 우리 몸의 세포들 하나하나보다도 그 능력이 떨어진다. 하지만 이상스럽게도 우리는 가끔 전혀 알지 못하는 것을 마치 알고 있는 듯 느낄 때가 있다.

한 번도 써 본적이 없는 말을 기억하거나 기술을 배운 적이 없는데도 알 수 있다거나 가본 적 없는 곳이 편하게 느껴지거나 처음 만난 사람에게서 알 수 없는 친숙함을 느낄 때가 있다.

말로 설명되지 않는 그 기시감. 우리는 이것을 뇌의 혼란으로만 여기고 그 출처에 대한 연구를 무시해 버렸다. 하지만 그것은 우리의 영혼에 각인된 것이 아니라 기특한 우리 세포들의 기억이 그

출처이다.
이처럼 우리가 재능이라고 일컫는 이 세포 속 특정요소는 지구상 태어나는 다음 세대의 영혼들과 코딩하게끔 만들어진 설계도 역할을 영혼이 각성하는 날까지 하게 된다.
깨달음 상태의 우리들은 이것 역시도 마치 오래된 기억처럼 저절로 알게 되었다.
흥미로운 것은 이 소명설계가 모계유전으로 이루어진다는 것이다.
모든 이들에게 반드시 있어야할 존재, 어머니는 일반적인 통념적 관념보다도 더 신비로운 비밀을 갖고 있는 지도 모른다.

제켄포는 나와 아랍노인, 비숍만이 자신의 뒤를 따르도록 요청하였고 우리 네 명은 연못의 고목을 지나 맞은편의 암흑결계로 통하는 통로로 향하였다.
어두운 편인 통로로 접어들어 얼마 지나지 않아 막다른 곳에서 거대한 철문과 맞닥뜨렸다. 제켄포께서 철문 오른쪽에 설치된 번호버튼키에 '33'이란 숫자를 입력하자 문은 '웅~'하는 울림과 함께 열리었다.
아랍노인이 거대한 철문에 붙은 둥근 뱀 형태의 커다란 문고리를 잡아당기자 문은 웅장하고도 기괴한 울림을 내며 활짝 열었다.
문의 너머에는 검은 암흑 외에는 아무것도 보이지 않았고 냉동고를 열은 것 같은 냉기가 퍼져 나왔다.
나는 상자를 두 손에 받쳐 들고 서서히 문 안쪽으로 걸어 들어갔다. 그 뒤로 아랍노인과 비숍 역시 경계의 눈빛으로 나를 따라 들어 왔다.
이윽고 나는 손에서 이상한 꿈틀거림을 느끼고 멈추어 선 채 상자를 살폈는데 상자에서 검은색의 연기가 퍼져 나오기 시작했다.

우리 셋은 상자에서 일어나는 현상을 주시하며 기다렸다. 상자의 검은 연기가 모두 퍼져나가자 두 손 가득히 흰색의 빛나는 안개처럼 생긴 작은 소용돌이가 나타났다.

그러자 어디로부터인가 짐승의 포효소리 같은 것이 들렸다고 생각하는 순간, 눈앞의 암흑물질들이 모두 사라지고 푸른 하늘이 나타났다. 우리 셋은 푸르른 하늘 위에 서 있는 형상으로 눈앞에서 벌어지고 있는 현상을 바라보았다.

이윽고 저 멀리에서 무언가 보이는가 싶었는데 가까이 다가온 그것은 흰색의 갈기털과 이마의 뿔을 가진 날렵하게 생긴 백호였다.

비숍이 낮은 목소리로 말했다.

〈파드마 삼바바의 백호입니다. 천천히 다가오는 것으로 보아서는 공격할 의도는 아닌 것 같습니다.〉

우리 셋은 백호를 주시하며 행동을 살폈는데 백호는 나의 앞까지 와서는 멈춰 서서 나를 쳐다보더니 뒤를 보이며 돌아서서는 따라오라는 듯 다시 한 번 나를 쳐다보았다.

우리 셋은 백호의 뒤를 따라갔다.

백호를 따라 푸른 하늘 속을 꽤 걸어갔을 때 주변의 빛나는 벚꽃들이 양옆으로 흐드러지게 핀 아름다운 길이 나타났다.

빛이 나는 벚꽃들을 주시하자 그것이 평범한 꽃들이 아님을 알 수 있었다. 수많은 빛의 덩어리들이 마치 벚꽃처럼 하늘을 장식하고 있는 것이었다. 그 빛들은 양감을 가진 작은 빛의 실들이 엉켜 있는 형태였는데 그것들은 필시 영혼들이었다.

나는 이곳이 왜 죽은 자들만이 갈 수 있는 곳인 중간계인지를 알 수 있었다.

빛나는 꽃의 터널 길을 지나자 아름다운 소용돌이를 그리며 돌고 있는 '사자의 서' 샘터에 다다랐다.

그 샘터의 위쪽으로도 빛의 꽃들은 만발해 있었는데 그 꽃들은 반짝거리며 흰색의 소용돌이 안개 속으로 떨어져 내렸다.

백호는 거기까지 우리 셋을 안내하고는 조용히 어디론가 사라졌다.

나는 천천히 샘터로 다가가서 두 손 가득히 담겨져 있는 '사자의 서' 샘물을 원래의 샘터에 부었다.

빛나는 안개가 흘러 내려 '사자의 서' 샘터와 합류하면서 자연스럽게 큰 소용돌이 속으로 섞여 들어갔다.

샘터는 평화롭기 그지없었다. 인간들이 말하는 천국이 여기일는지도 몰랐다. 아니 어쩌면 신선들이 살고 있는 곳인지도 몰랐다. 그곳은 절대의 평정과 균형이 있었고 완벽한 조화로움과 아름다움이 존재하는 곳이었다.

그것이 환상이든 실제이든 상관없이 어느 인간이라도 악할 수 없는 곳이었다.

이곳을 파드마 삼바바는 지키고자 했던 것이다. 영혼의 거룩한 전당이며 지구의 자궁이었다.

내가 그런 생각에 빠져 있는 사이에 샘터에 한 여인이 나타나 커다란 항아리를 들고 샘터에다가 백색의 안개물을 붓고 있지 않은가. 주변을 둘러보니 함께 왔던 비숍과 아랍노인의 모습이 보이지 않았다.

나는 갑자기 나타난 여인에 놀랐지만 그 여인은 일정한 자태를 가지지 않고 매 순간 시시각각 모습이 바뀌어 보였다.

성모마리아처럼 보이다가도 관세음보살의 모습으로 바뀌고 또 힌두교의 여신처럼 보였다가 그리스의 여신의 모습으로도 바뀌고 그러다가 다시 보면 이집트의 이시스 여신이 앙크를 들고 있는 모습으로 보였다.

나는 변하는 그 모습에 시야가 흐려졌다고 생각했는데 다시 마음을 가다듬고 본 여인의 모습은 이모가 언젠가 건네어준 사진 속 나의 어머니의 모습이었다.

아른거리듯 보이는 그녀가 사라져 버릴 것 같아 나도 모르게 그녀를 불렀다.

〈엄마?!〉

그러자 그 여인은 나를 정면으로 쳐다보았고 찰나적으로 변신하던 그 여인의 상은 이제 완전히 나의 어머니의 모습이었다.

나는 다시 한 번 애타게 외쳤다.

〈엄마!〉

인간성의 바닥까지 내려가 나는 내 인간성의 근원을 불렀다. 너무나 슬픈 그 이름, 어머니 아니던가?

세상 모든 인간들의 마음속 인식의 형태로 보여지는 그 여인의 실체를 나는 알 수 없었다. 하지만 내 인간성의 신념적 의지는 그녀를 나의 어머니의 형상으로 보여지게 만들었다.

그리고 그녀가 나를 불렀다.

〈사라야!〉

그녀는 정말로 나의 어머니인지도 몰랐다.

〈네! 네! 엄마!〉

어머니는 평온하면서도 상냥한 미소를 보이며 말했다.

〈사라, 난 니가 올 줄 알았다. 기다리고 있었어.〉

〈나를 기다렸다고요?〉

어머니는 고개를 끄덕였다.

〈죄송해요, 너무 늦게 찾아서요.〉

나의 인간성의 끝없는 방황의 끝에서 나는 어머니에 대한 원망과 복수심을 찾아냈었다. 그리고 이렇게 얼굴을 마주하고 물어 보고 싶었었다.

〈왜 나를 버렸어요?〉

어머니는 이내 슬픈 얼굴로 말했다.

〈나는 너를 버리지 않았어. 그리고 앞으로도 너를 버리지 않을 거다. 너는 영원히 나의 자랑스러운 아이야.〉

나의 인간성은 내 안의 신성을 밀어 내고 소리쳤다.

〈나를 사랑하기는 하셨나요?!〉

어머니는 눈물을 흘리시며 말했다.

〈물론 너무나도 사랑한단다. 너는 나의 피요 살이다. 너는 내 일부분이란다.〉

나는 도로 어린 아이가 된 것처럼 보채듯 협박하듯 말했다.

〈그렇다면 이제부터 저와 있어 주세요!〉

나의 말에 어머니는 눈을 내리 깔고 눈물을 흘리셨다.

〈나는 항상 너와 함께 있었다. 단 한 번도 너를 내려놓은 적이 없구나. 그건 너가 반드시 믿어야 한다.〉

연이어 어머니는 나를 부드러운 눈으로 쳐다보며 말을 이었다.

〈사랑하는 아이 사라야! 지금부터 내가 하는 말을 잘 듣거라. 나는 오랜 세월 너를 품고 있었으나 이제는 너를 떠나보내야 한단다.〉

〈떠나보내요?! 어디로요?〉

〈은하수, 먼 별들의 세상으로 가야한단다.〉

어머니는 슬픈 얼굴로 계속 말했다.

〈하지만 내가 너를 너무나 사랑한다는 것을 영원히 잊어서는 안된단다. 이제 머지않아 너와 나에게 힘든 시간이 닥쳐 올 거야. 우리의 이별보다 아프지는 않겠지만 그 어려운 때를 용기를 가지고 이겨내야 한단다.〉

나는 그제야 나의 인간성에 빠져 있던 나를 일깨우며 어머니에게 물었다.

〈힘든 시간이요? 무슨 일이 생기나요?〉

어머니는 강한 어조 말했다.

〈그렇단다. 하지만 이것이 우주의 법칙이며 우리들이 살아가는 생이란다. 이별은 우리의 생에 운명과도 같은 것이란다. 언젠가는 니가 이 엄마와 같은 생을 살거나 아니면 아빠와 같은 생을 살기 위해서 정해진 성숙의 수순이란다. 그러니 사라야, 용기를 가지거라!〉

나는 의아해서 물었다.

〈나에게 앞으로 어떤 생이 기다리고 있나요?〉

어머니는 찬찬히 설명해 주셨다.

〈아빠와 같은 빛나는 생과 엄마와 같은 아름다운 빛의 씨앗들을 키워내는 일이란다.〉

어머니는 손을 내밀어 나의 손을 잡았다. 어머니는 나를 데리고 우주공간으로 나갔다. 어머니는 마치 영상처럼 보이는 우주공간에서 손가락을 가리켰다. 그것은 지구의 모습이었고 그 너머로 빛나는 태양이 보였다.

갑자기 태양의 빛이 10배는 밝아졌다. 나는 눈이 부셔서 손을 들어 빛을 가렸다. 곧이어 지구의 모습이 약간 일그러지더니 땅이며 바다가 뒤섞여 휘몰아치기 시작했다. 나는 도대체 이것이 무엇을 위한 것인지 영문을 알지 못해 어머니가 보여주는 영상을 주시하였다.

혼란에 뒤섞인 지구에서 마치 민들레 홀씨가 흩날리듯이 작은 빛들이 튕겨져 나오기 시작하였다. 점점 더 지구는 푸른색을 잃어갔고 회색빛 폭풍의 행성으로 변해 갔지만 지구로부터 마치 불꽃놀이 하듯이 무수한 빛덩이들이 쏟아져 나왔다.

〈자, 보거라 나의 아이야. 너희들의 출생 장면이다.〉

나는 어머니를 쳐다보며 놀라서 물었다.

〈출생 장면요?〉

어머니는 고개를 한번 끄덕였다.

〈나는 너를 임신하고 있단다. 이제 곧 밝고 거대한 별의 영혼이 될 너를 출산할 거란다. 너희 아빠보다도 아름답고 빛나게 될 거란다.〉

나는 그제야 그 모든 계획의 의도를 볼 수 있었다.

〈아……, 이것이로군요. 그 거대한 계획이란.〉

고통으로 일그러지는 지구를 보면서 그리고 그 지구로부터 탈출해 나오는 무수한 빛의 씨앗들을 보면서 나는 감정이 없다고 생각한 신성의 깊은 밑바닥에서부터 벅찬 감동을 느낄 수 있었고 말로 표현할 수 없는 슬픔에 눈물을 흘렸다.

그런 나를 보더니 어머니는 조용히 말했다.

〈너희와 나, 둘 다에게 말할 수 없는 고통의 시간이 될 거란다. 하지만 우주적으로는 커다란 경사란다. 우주는 더욱더 강한 빛을 가진 많은 별들을 원하지.〉

어머니와 나는 다시 샘터로 돌아와 있었다. 나의 손을 여전히 잡고는 어머니는 말했다.

〈사라, 엄마는 이번이 7번째 출산이란다. 그 전의 너의 형제 별들은 모두 은하수의 빛나는 별들이 되어 있단다. 이것은 거대한 우주의 계획이며 더욱더 많은 찬란한 빛의 형제들을 출산하는 것이 지금 지구라는 이 엄마의 임무란다. 그리고 충분히 우리 모두가 다시 합쳐질 수 있는 그 에너지를 갖는 그날, 우리 모두는 다시 하나가 될 거란다. 너희는 나의 빛의 씨앗들이며 이제 모두 성장을 마쳤으니 나는 너희를 우주로 내 보낼 준비를 할 거란다. 출산의 순간은 나의 자기장이 약해지게 되므로 너희에게도 나에게도 엄청난 고통의 시간이 될 거란다. 하지만 용기를 가지거라. 이제 너희에게는 더 빛나는 생이 기다리고 있단다.〉

우주가 계획한 이 거대한 사건을 신성인 나도 알아차리지 못했었다. 또 다른 차원에서의 생이 기다리고 있음을 이제야 알게 되었다. 아마도 그 생에는 또 다른 깨달음이 존재할 것이다.

〈엄마, 나는 이제 어떻게 해야 하나요?〉

〈아직도 깨어나지 못한 형제들을 깨우거라. 오류를 범하는 형제들을 깨우거라. 그들로 하여금 오래전 신과 한 무지개의 약속을 기억하도록 돕거라. 나에게는 모두 다 사랑하는 자식들이란다. 난 니가 너희 형제들을 눈 뜨게 할 수 있을 것이라 믿는단다. 시기가 다가오고 있구나, 사라야.〉

〈무엇으로 깨닫게 하나요? 제가 본 이 판타지 같은 이야기를 믿으라고 할까요? 아니면 어머니의 존재에 대한 이야기를 해야 할까요? 곧 출산을 할 거라고?〉

어머니는 고개를 가볍게 저었다.

〈사라, 너희는 이미 성숙한 빛의 씨앗들이다.〉

'끼야악' '끼야악'

하늘에 거대한 불새가 나타났다. 기묘한 소리를 내며 불새는 나의 머리를 위를 날고 있었다.

나는 이상히도 그냥 알 수가 있었다.

그는 불새의 운명을 타고난 제왕의 후손, 민이씨였다.

그리고 또 알 수 있었다. 그가 우리 모두를 은하수까지 안내할 등대와 같은 안내자임을.

출산의 순간에 그를 볼 수 있는 유일한 눈이 나의 역할임을.

사자의서 2015 현대편

발　행 | 2015년 10월 12일
저　자 | 김은진
펴낸이 | 한건희
펴낸곳 | 주식회사 부크크
출판등록 | 2014.07.15.(제2014-16호)
주　소 | 경기도 부천시 원미구 춘의동 202 춘의테크노파크2단지 202동 1510호
전　화 | (070) 4085-7599
이메일 | info@bookk.co.kr

ISBN | 979-11-5811-381-0

www.bookk.co.kr